Raphaël P...

D1089774

CONTES ...
D'EXPRESSION PORTUGAISE
PORTUGAL - BRÉSIL - AFRIQUE

CONTOS E CRÓNICAS
DE EXPRESSÃO PORTUGUESA
PORTUGAL - BRASIL - ÁFRICA

Carlos Drummond de Andrade
Anónimo africano
Baptista Bastos
Maria Isabel Barreno
Rubem Braga
Mário de Carvalho
Salisbury Galeão Coutinho
Herberto Helder
Mário Henrique Leiria

Rubem Mauro Machado
Carlos Eduardo Novaes
Murilo Rubião
Fernando Sabino
Moacyr Scliar
António Torrado
Luís Fernando Veríssimo
Luandino Vieira.

Choix, traduction et notes par

Solange PARVAUX, *Inspectrice Générale*

Jorge DIAS DA SILVA, *Assistant à l'université de Paris III*

Jacqueline PENJON, *Maître de Conférences à Paris IV*

POCKET

Langues pour tous

Collection dirigée par Jean-Pierre Berman,
Michel Marcheteau et Michel Savio

PORTUGAIS

■ Pour débuter (ou tout revoir) ·
  - **40 Leçons (Portugal/Brésil)**
■ Pour se perfectionner et connaître l'environnement ·
  - **Pratiquer le portugais**
■ Pour évaluer et améliorer votre niveau ·
  - **Score** (200 tests de portugais)
■ Pour prendre contact avec des œuvres en version originale :
  - **Série bilingue :**
    Contes et chroniques d'expression portugaise
    (Portugal - Brésil - Afrique)
■ Pour voyager (guide de conversation) ·

Sommaire

Liste des abréviations

adj.	adjectif	*p.*	page
adv.	adverbe	*P.*	Portugal
B.	Brésil	*p.p.*	participe passé
Compl.	complément	*pers.*	personnel
conj.	conjonction	*pret.*	prétérit
F.	Français	*pron.*	pronom
fam.	familier	*qq.ch.*	quelque chose
imp.	imparfait	*qq.un*	quelqu'un
ind.	indicatif	*sg.*	singulier
inf.	infinitif	*subj.*	subjonctif
intr.	intransitif	*tr.*	transitif
inv.	invariable	*v.*	verbe
irr.	irrégulier	<	vient de
m.à m.	mot à mot	≠	différent de

RÉFORME ORTHOGRAPHIQUE (1988)

Une commission comprenant des représentants africains, brésiliens et portugais se réunit actuellement dans le but de préparer une réforme orthographique de la langue portugaise. Cette réforme sera appliquée en 1988. Dans un souci de simplification et d'unification les variantes du type *Diretor* (B.), *Director* (P.), *Vôo* (B.), *Voo* (P.), etc. disparaîtront au profit de *Diretor*, *Voo*, etc.

Comment utiliser la série « Bilingue »

Cet ouvrage de la série « Bilingue » permet aux lecteurs :

• d'avoir accès aux versions originales des contes et chroniques en portugais (Portugal, Brésil et Afrique lusophone), et d'en apprécier, dans les détails, la forme et le fond ;

• d'améliorer leur connaissance du portugais, en particulier dans le domaine du vocabulaire dont l'acquisition est facilitée par l'intérêt même du récit, et le fait que mots et expressions apparaissent en situation dans un contexte, ce qui aide à bien cerner leur sens.

Cette série constitue donc une véritable méthode d'auto-enseignement, dont le contenu est le suivant :

• page de gauche, le texte portugais ;
• page de droite, la traduction française ;
• bas de pages de gauche et de droite, une série de notes explicatives (vocabulaire, grammaire, prononciation, etc.).

Les notes de bas de page et les listes récapitulatives à la fin de chaque nouvelle aident le lecteur à distinguer les mots et expressions idiomatiques d'un usage courant aujourd'hui, et qu'il lui faut mémoriser, de ce qui peut paraître trop daté ou trop exclusivement lié aux événements et à l'art de l'auteur.

Il est conseillé au lecteur de lire d'abord le portugais, de se reporter aux notes et de ne passer qu'ensuite à la traduction ; sauf bien entendu s'il éprouve de trop grandes difficultés à suivre le récit dans ses détails, auquel cas il lui faut se concentrer davantage sur la traduction, pour revenir finalement au texte portugais, en s'assurant bien qu'il en a maintenant maîtrisé le sens.

Carlos Drummond de Andrade, *O assalto*
(70 HISTORINHAS, © Livraria José Olympio Editora, Rio de Janeiro, 1978)

Maria Isabel Barreno, *Os caminhos do poder*
(CONTOS ANALÓGICOS, © Edições Rolim, Ld, Lisboa)

Rubem Braga, *Os Portuguese e o navio*
(AI DE TI COPACABANA), © Distribuidora Recond de serviços de imprensa s.a., Rio de Janeiro, 1962).

Mário de Carvalho, *O tombo da lua*
(CASOS DO BECO DAS SARDINHEIRAS, © Edições Contra-Regra, Lisboa, 1982).

Salisbury Galeão Coutinho, *O homem que ganhou um leitão*
(ANTOLOGIA DE HUMORISMO E SÁTIRA, de R. Magalhães Júnior, © Bloch Editores, Rio de Janeiro).

Herberto Helder, *Cães, marinheiros*
(OS PASSOS EM VOLTA, © Ed. Assirio e Alvim, Lisboa, 1984).

Mario Henrique Leiria, *O meneno e o caixote*
(CONTOS DO GIN-TONIC, © Editorial Estampa, Lisboa, 1973).

Rubem Mauro Machado, *Conversa de viagem*
(JANTAR ENVENENADO, © Editora Ática, São Paulo).

Carlo Eduardo Novaes, *Alternativas alimentares*
(DEMOCRACIA A VISTA, © Editorial Nórdica Ltda, Rio de Janeiro, 1981).

Murilo Rubião, *O homem de boné cinzento*
(A CASA DO GIRASSOL VERMELHO, © Editora Ática, São Paulo, 1978).

Fernando Sabino, *O homem nu*
(O HOMEM NU, © Distribuidora Recond de serviços de imprensa sa, Rio de Janeiro, 1960).

Moacyr Scliar, *Comendo papel*
(A BALADA DO FALSO MESSIAS, © Editora Atica, São Paulo, 1976).

António Torrado, *A Laranja*
(DE VITOR AO XADREZ, © Livros Horizonte, Lisboa, 1984).

Luis Fernando Verissimo, *Cantada*
(A VELHINHA DE TAUBATE, © L & PM Editores, Ltda, Porto Alegre, 1983).

Luandino Vieira, *A fronteira de asfalto*
(A VELHINHA DE TAUBATE, © 1960).

Baptista Bastos, *Então que é isso ó Vitinha ?!...*
(CIDADE DIÁRIA, © Editorial Futura, Lisboa, 1972)

© Pocket et Langues pour Tous 1986 pour les traductions, les notices biographiques et les notes.

ISBN : 2-266-08369-4

Carlos DRUMMOND DE ANDRADE

Assalto

Vol

Carlos Drummond de Andrade, le plus grand poète contemporain brésilien, est né en 1902 dans l'État de Minas Gerais. Avec ses recueils de poésies *Sentimento do Mundo* (1940), *Fazendeiro do Ar* (1954), *As Impurezas do Branco* (1973) et *Amar se aprende amando* (1985), il publie des contes — *Contos de Aprendiz* (1951) — et de nombreuses chroniques réunies dans *A bolsa e a vida* (1962), *Os dias lindos* (1977), *O observador no escritório* (1985), etc. Depuis 1969 il écrit dans *O Jornal do Brasil.* « Assalto » est une chronique extraite de *70 historinhas* (1978), et nous y découvrons l'actualité et la vie de tous les jours mêlées à l'humour.

Na feira, a gorda senhora protestou a altos brados contra o preço do chuchu[1] :

— Isto é um assalto[2] !

Houve um rebuliço. Os que estavam perto fugiram. Alguém, correndo, foi chamar[3] o guarda. Um minuto depois, a rua inteira, atravancada[4], mas provida de admirável serviço de comunicação espontânea, sabia que se estava perpetrando[5] um assalto ao banco. Mas que banco ? Havia banco[6] naquela rua ? Evidente que sim, pois do contrário como poderia ser assaltado ?

— Um assalto ! Um assalto ! A senhora continuava a exclamar[7], e quem não tinha escutado escutou[8], multiplicando[9] a notícia. Aquela voz subindo do mar de barracas[10] e legumes era como a própria sirena policial, documentando, por seu uivo, a ocorrência grave, que fatalmente se estaria consumando ali, na claridade do dia, sem que ninguém pudesse evitá-la.

Moleques[11] de carrinho corriam em todas as direções, atropelando-se uns aos outros.

Queriam salvar as mercadorias que transportavam. Não era o instinto de propriedade que os impelia[12]. Sentiam-se responsáveis pelo[13] transporte. E no atropelo[14] da fuga, pacotes rasgavam-se, melancias rolavam, tomates esborrachavam-se no asfalto.

---

1. **chuchu** = *christophine* ou *chayotte*.
2. **assalto** (v. assaltar) = *hold-up, attaque*.
3. **chamar** = *appeler ;* mandar chamar = *faire appeler, faire venir.*
4. **atravancada** = *encombrée ;* o engarrafamento = *l'embouteillage.*
5. **que se estava perpetrando** (v. perpetrar = **perpétrer, exécuter**) ; remarquez d'une part la traduction de ON (SE + verbe. 3e p. sg.), et d'autre part la forme progressive (ESTAR + gér.).
6. **havia banco** = *remarquez l'absence d'article.*
7. **exclamar** = *s'exclamer ;* la durée (continuava a) peut se rendre par toujours.
8. **quem não tinha escutado, escutou** = m. à m. *ceux qui n'avaient pas écouté, écoutèrent ;* escutar = *écouter ;* ouvir = *entendre ;* entender = *comprendre.*

8

Au marché, la grosse dame protesta à grands cris contre le prix des chayottes :

— Ça, c'est un vol !

Il y eut un remous. Ceux qui étaient tout près s'enfuirent. Quelqu'un, en courant, alla chercher l'agent de police. Une minute plus tard, la rue tout entière, embouteillée, mais pourvue d'un admirable service de communication spontanée, savait que l'on était en train de voler une banque. Mais quelle banque ? Il y avait une banque dans cette rue-là ? Bien sûr que oui, sinon comment pourrait-elle être volée ?

— Un vol ? Un vol ! La dame s'exclamait toujours, et ceux qui n'étaient pas au courant le furent et répétaient la nouvelle. Cette voix qui montait de cette mer d'étalages et de légumes était comme la sirène elle-même de la police, qui faisait connaître, par son hurlement, l'événement grave, qui était en train de se produire là, à la lumière du jour, sans que personne ne puisse l'éviter.

Des gamins avec leurs petits chariots couraient dans toutes les directions, se heurtant les uns les autres.

Ils voulaient sauver les marchandises qu'ils transportaient. Ce n'était pas l'instinct de propriété qui les poussait. Ils se sentaient responsables du transport. Et dans la bousculade de la fuite, des paquets se déchiraient, des pastèques roulaient, des tomates s'écrabouillaient sur l'asphalte.

---

9. multiplicar = *multiplier*.
10. **barraca** = *tente, cabine de plage, parasol* (Br.).
11. **moleque** (mot d'origine africaine) = *négrillon*.
12. **impelia** imp. ind. de impelir = *pousser* (figuré) mais empurrar = *pousser* (sens propre) ; ne confondez pas avec **puxar** = *tirer*.
13. **pelo transporte**. Remarquez la préposition introduisant le compl. de l'adjectif (**responsável por** =. *responsable de*).
14. **o atropelo**, du v. atropelar = *bousculer, écraser*. Ex. **o carro atropelou o rapaz** = *la voiture a écrasé le jeune homme. Écraser* (sens concret) = **esmagar**.

Se a fruta cai no chão, já não é de[1] ninguém ; é de qualquer um, inclusive do transportador. Em ocasiões de assalto, quem é que[2] vai reclamar uma penca[3] de bananas meio amassadas ?

— Olha o assalto ! Tem[4] um assalto ali adiante !

O ônibus na rua transversal parou para assuntar. Passageiros ergueram-se, puseram o nariz para fora. Não se via nada. O motorista desceu, desceu o trocador, um passageiro advertiu :

— No que[5] você vai a fim de ver o assalto, eles assaltam sua caixa.

Ele nem[6] escutou. Então os passageiros também acharam de bom alvitre[7] abandonar o veículo, na ânsia de saber, que vem movendo[8] o homem desde a idade da pedra até[9] a idade do módulo lunar.

Outros ônibus pararam, a rua entupiu.

— Melhor. Todas as ruas estão bloqueadas[10]. Assim eles não podem dar no pé[11].

— É uma mulher que chefia o bando !

— Já sei. A tal dondoca[12] loura.

— A loura assalta em São Paulo. Aqui é a morena.

— Uma gorda. Está de metralhadora[13]. Eu vi[14].

— Minha Nossa Senhora, o mundo está virado !

— Vai ver que está caçando[15] é marido.

— Não brinca[16] numa hora dessas. Olha[16] aí sangue escorrendo[17] !

— Sangue nada, tomate.

---

1. **já não é de...**, ser de indique l'appartenance.
2. **quem é que vai**, é que est une forme invariable d'insistance. m. à m. = *qui est-ce qui va...*
3. **a penca** = *ensemble de fleurs et de fruits.* Au Brésil, il peut traduire l'idée de « une grande quantité ». Ex. : uma penca de filhos = *une ribambelle d'enfants ;* dinheiro em penca = *de l'argent à profusion.*
4. **tem** (de ter, 3e p. sg.) = *il y a* (Brésil) = há.
5. **no que** = enquanto.
6. **nem** = « *ne pas même* », car il s'agit de la formule incomplète nem sequer ; nem... nem = *ni... ni.*
7. **o alvitre** = a opinião.
8. **vem movendo**, forme progressive avec vir, indique *le déroulement lent de l'action.*
9. **até a idade**, serait au Portugal : até à idade. Au Brésil até n'est pas suivi de la préposition a, donc pas de contraction.
10. **estão bloqueadas**, s'agissant du résultat d'un acte, seul le verbe estar peut être ici employé.

Si les fruits tombent par terre, ils ne sont plus à quiconque ; ils sont à tout le monde, même à celui qui les transporte. Lors d'un vol, qui va réclamer une main de bananes à moitié écrasées ?

— Attention au vol ! On est en train de voler, là-bas !

L'autobus dans la rue transversale s'arrêta pour observer. Des passagers se levèrent, mirent le nez dehors. On ne voyait rien. Le chauffeur descendit, le receveur aussi, un passager prévint :

— Pendant que vous allez voir le vol, ils vont voler votre caisse.

Il n'écouta même pas. Alors les passagers eux-mêmes trouvèrent judicieux d'abandonner le véhicule, dans cette soif de savoir, qui pousse l'homme depuis l'âge de la pierre jusqu'à l'âge du module lunaire.

D'autres autobus s'arrêtèrent, la rue fut bouchée.

— Cela vaut mieux. Toutes les rues sont bloquées. Comme ça ils ne pourront pas filer.

— C'est une femme qui mène la bande !

— Je sais bien. La fameuse mijorée blonde.

— La blonde vole à São Paulo. Ici, c'est la brune.

— Une grosse. Elle a une mitraillette. Je l'ai vue.

— Jésus, Marie, Joseph, c'est le monde à l'envers !

— Vous allez voir, c'est à la poursuite d'un mari qu'elle est.

— Ne plaisantez pas dans un moment pareil. Regardez : du sang qui coule !

— Pas du tout. C'est de la tomate.

---

11. **dar no pé** = fugir *(fuir)*.

12. **dondoca**. Ce terme (peut-être une déformation de **dona**) a ici une connotation péjorative. D'habitude, c'est une façon affectueuse de s'adresser à une femme.

13. **está de metralhadora** = estar de indique une façon d'être momentanée = *elle est avec une mitraillette, elle porte une mitraillette.*

14. **eu vi**. Remarquez en portugais l'absence du pronom complément.

15. **está caçando** = estar + gérondif indique une action qui dure = *elle est en train de chasser.*

16. **brinca/olha**. Remarquez ces formes populaires pour brinque/olhe.

17. **sangue escorrendo**. Le gérondif se traduit souvent en français par une proposition relative.

Na confusão, circulam notícias diversas. O assalto fora[1] a uma joalheria, as vitrinas tinham sido esmigalhadas a bala. E havia jóias pelo[2] chão, braceletes, relógios. O que[3] os bandidos não levaram[4], na pressa, era agora objeto de saque popular. Morreram no mínimo duas pessoas, e três estavam gravemente feridas.

Barracas derrubadas assinalavam o ímpeto da convulsão coletiva.

Era preciso abrir caminho a todo custo. No rumo do assalto, para ver, e no rumo contrário para escapar.

Os grupos divergentes chocavam-se e às vezes trocavam de direção : quem fugia dava marcha à ré, quem queria espiar[5] era arrastado pela massa[6] oposta. Os edifícios de apartamentos tinham fechado suas portas, logo que o primeiro foi invadido por pessoas que pretendiam, ao mesmo tempo, salvar o pêlo[7] e contemplar lá de cima. Janelas e balcões apinhados[8] de moradores, que gritavam :

— Pega ! Pega ! Correu pra lá[9] !
— Olha[10] ela ali !
— Eles entraram na kombi[11] ali adiante !
— É um mascarado ! Não, são dois mascarados !

Ouviu-se nitidamente o pipocar[12] de uma metralhadora, a pequena distância. Foi um deitar-no-chão[13] geral, e como não havia espaço, uns caíam por cima de outros. Cessou o ruído. Voltou. Que assalto era esse, dilatado no tempo, repetido, confuso ?

— Olha o diabo daquele[14] escurinho tocando matraca !

---

1. **fora** = tinha sido, la forme composée n'a pas été employée pour éviter une répétition.
2. **pelo chão**. Remarquez l'emploi de **por** à la place de **em (no chão)**, pour indiquer l'éparpillement des objets sur le sol.
3. **o que**. L'article a ici valeur de démonstratif.
4. **levaram** du verbe **levar** = *emporter* (quelque chose), *emmener* (quelqu'un) qui s'oppose à **trazer** *apporter* (quelque chose), *amener* (quelqu'un). Attention *lever* = levantar.
5. **espiar** = *épier*.
6. **a massa** = a multidão *(la foule) ;* a massa signifie aussi = *la pâte* ; amassar = *pétrir*.
7. **o pêlo** = *le poil* ; à ne pas confondre avec pelo (por + o).
8. **apinhado**, de pinha = *la pomme de pin*. Remarquez l'absence du verbe qu'il faut restituer en français.

Au milieu de cette confusion, des nouvelles diverses avaient circulé. C'est une bijouterie qui avait été volée, les vitrines avaient éclaté en mille morceaux sous les balles. Et il y avait des bijoux par terre, des bracelets, des montres. Ce que les bandits n'avaient pas emporté, dans leur précipitation, était maintenant l'objet du pillage populaire. Deux personnes au moins étaient mortes, et trois étaient gravement blessées.

Des étalages renversés montraient l'impétuosité de cette convulsion collective.

Il fallait se frayer un chemin à tout prix. En direction du vol, pour voir, et dans la direction contraire, pour s'échapper.

Les groupes divergents se heurtaient et parfois changeaient de sens : ceux qui fuyaient faisaient marche arrière, ceux qui voulaient regarder étaient entraînés par le flot opposé. Les immeubles d'appartements avaient fermé leurs portes, immédiatement après l'invasion du premier par des personnes qui prétendaient, en même temps, sauver leur peau et contempler la scène d'en haut. Fenêtres et balcons étaient bourrés de locataires qui criaient :

— Arrêtez-la ! Arrêtez-la ! Elle s'est enfuie par là !

— Regardez-la, là-bas !

— Ils sont entrés dans le minibus un peu plus loin !

— C'est un homme masqué ! Non, ce sont deux hommes masqués !

On entendit distinctement le crépitement d'une mitraillette, à faible distance. Ce fut un couchez-vous général, et comme il n'y avait pas de place, les uns tombaient par-dessus les autres. Le bruit cessa. Il reprit. Quel vol était donc celui-là, espacé dans le temps, réitéré, embrouillé.

— Regardez ce diable de mulâtre en train de faire tourner sa crécelle !

---

9. **pra lá = pra** est la transcription correspondant à la prononciation de **para** dans la langue parlée.

10. Voir note 16, p. 11.

11. **kombi**, abréviation de l'allemand **Kombinationwagen** ; ce véhicule est fabriqué par la Volkswagen.

12. **pipocar** = *éclater comme du pop-corn*. Remarquez l'emploi substantivé du verbe **pipocar** qui indique une action en train de se faire. **A pipoca** = *le pop-corn*.

13. **um deitar-no-chão** = *création de l'auteur*. Remarquez l'infinitif substantivé.

14. **o diabo daquele escurinho**. Remarquez l'emploi de l'article **o** pour traduire le démonstratif, dans les expressions du type : **o diabo do homem** = *ce diable d'homme*.

E a gente[1] com dor-de-barriga[2], pensando que era metralhadora !

Caíram em cima do garoto, que soverteu[3] na multidão.
A senhora gorda apareceu, muito vermelha, protestando
sempre :

— É um assalto ! Chuchu por aquele preço é um verdadeiro assalto !

---

1. **a gente**, expression familière qui traduit souvent *on*. Dans
le texte a gente correspond à *nous*.
2. **dor-de-barriga,** m. à m. *douleur de ventre*. Attention : a dor,
la douleur. Remarquez les expressions : estar com dor de
barriga, *avoir mal au ventre ;* estar com dor de dentes, *avoir
mal aux dents ;* estar com dor de cabeça, *avoir mal à la tête*.
3. **soverteu** = desapareceu (plus courant).

Et nous, la peur au ventre, qui pensions que c'était une mitraillette !

Ils se précipitèrent sur le gamin qui disparut dans la foule. La grosse dame apparut, très rouge, protestant toujours :

— C'est un vol ! Des chayottes à ce prix-là, c'est un véritable vol !

Révisions

Vous avez rencontré dans la nouvelle que vous venez de lire l'équivalent des expressions françaises suivantes.
Vous en souvenez-vous ?

1. Elle protesta à grands cris.
2. La rue tout entière.
3. La dame s'exclamait toujours.
4. Ils se sentaient responsables du transport.
5. Les fruits ne sont plus à quiconque, ils sont à tout le monde.
6. Les passagers mirent le nez dehors.
7. Ils trouvèrent judicieux d'abandonner le véhicule.
8. Dans la soif de savoir.
9. Ils ne pourront pas filer.
10. Dans un moment pareil.
11. A tout prix.
12. A ce prix-là.

1. Ela protestou a altos brados.
2. A rua inteira.
3. A senhora continuava a exclamar.
4. Eles se sentiam responsáveis pelo transporte.
5. A fruta já não é de ninguém ; é de qualquer um.
6. Os passageiros puseram o nariz para fora.
7. Eles acharam de bom alvitre abandonar o veículo.
8. Na ânsia de saber.
9. Eles não podem dar no pé.
10. Numa hora dessas.
11. A todo custo.
12. Por aquele preço.

CONTE TRADITIONNEL

Um grão de milho é o preço de um escravo

Un grain de maïs est le prix d'un esclave

L'exemple présenté ici est originaire de l'archipel São Tomé et Príncipe, situé dans le golfe de Guinée.

Cette ancienne colonie portugaise, indépendante depuis 1975, a pour principale richesse le cacao.

Sum Alê[1] *(sozinho)*[2] : — Que inferno de vida ! O cacau está a estragar-se[3] todo na minha roça. Que desgraça ! tenho falta[4] de mão-de-obra...

Tartaruga *(entrando, com ar chocarreiro, indaga*[5]*)* :
— Tanto barulho, Sum Alê... Posso valer-lhe ?

Sum Alê : — Deixa-me em paz, bicho malvado !

Tartaruga : — Sum Alê[6] bem sabe que eu[7] tenho sempre muitos recursos...

Sum Alê : — Desaparece depressa da minha vista que[8] eu estou farto[9] de te aturar...

(Bate impacientemente os pés no chão.)

Tartaruga : — Bem, bem... Vou retirar-me, que[8] aqui vai haver trovoada[10].

(Simula uma fuga.)

Sum Alê : — Não te vás embora e escuta...

Tartaruga : — Eu escuto sempre, porque sei que Sum Alê é sempre generoso... sempre.

Sum Alê : — Tu não vês que o cacau está maduro e eu não tenho serviçais para a colheita ?...

Tartaruga : — Um grão de milho, apenas, é o preço dum escravo. Dê-me um grão de milho.

Sum Alê : — Não estou para[11] graças, ouviste ?

Tartaruga : — Nunca falei mais sério[12], Senhor...

---

1. **Sum Alê**, déformation populaire de Senhor Manuel.
2. **sozinho** = *tout seul*. Diminutif de l'adj. só *(seul)* + inho.
3. **está a estragar-se**, la forme progressive s'exprime ici par ESTAR + A + infinitif. On aurait pu trouver aussi ESTAR + gérondif en -NDO, d'un emploi courant au Brésil et dans certaines régions du Portugal (Alentejo).
4. **tenho falta,** de ter falta = *manquer*. Faltar *(manquer)* est employé de façon impersonnelle ; **falta uma hora** = *il manque une heure ;* **faltam três horas** = *il manque trois heures ;* **a falta** = *le manque : la faute* = o erro.
5. **indaga**, du v. **indagar** = *demander, chercher à savoir*. Ne confondez pas avec **pedir** *(demander une chose ou un acte)* et **perguntar** *(demander, poser une question)*.
6. **Sum Alê**. Remarquez l'emploi du nom pour traduire le vous de politesse. Lorsqu'on ne connaît pas la personne, on emploie « o senhor ».

Sum Alê *(tout seul)* : — Quelle vie d'enfer ! Le cacao est en train de s'abîmer complètement dans ma plantation. Quel malheur ! Je manque de main-d'œuvre...

La Tortue *(entrant d'un air moqueur, demande)* : — Que de bruit, Sum Alê... Puis-je vous aider ?

Sum Alê : — Fiche-moi la paix, sale bête !

La Tortue : — Vous savez bien que, moi, j'ai toujours énormément de ressource.

Sum Alê : — Hors de ma vue, vite, disparais, j'en ai assez de te supporter...

(Il piétine le sol d'impatience.)

La Tortue : — Bon, bon... je m'en vais, car le temps est à l'orage.

(Elle fait semblant de partir.)

Sum Alê : — Ne t'en va pas et écoute...

La Tortue : — Moi, j'écoute toujours, parce que je sais, Sum Alê, que vous êtes toujours généreux... toujours.

Sum Alê : — Tu ne vois pas que le cacao est mûr et que je n'ai pas de serviteurs pour la récolte ?...

La Tortue : — Un grain de maïs, un seul, c'est le prix d'un esclave. Donnez-moi un grain de maïs.

Sum Alê : — Je n'ai pas envie de plaisanter, tu entends ?

La Tortue : — Je n'ai jamais parlé plus sérieusement, Monsieur.

---

7. **eu tenho** : le pronom personnel sujet n'est généralement pas employé en portugais (**tenho** = *j'ai*). Lorsqu'il est exprimé, il y a insistance (**eu tenho** = *moi, j'ai*).

8. **que** est l'équivalent de la conjonction *car*.

9. **farto** = *rassasié* ; estou farto = *j'en ai assez*.

10. **a trovoada** = *le coup de tonnerre* (de **o trovão** = *le tonnerre* + suffixe **ada** = *un coup de*). Ex. a facada = *le coup de couteau* (**faca** = *couteau*).

11. **não estou para graças** = estar para... peut indiquer un état d'humeur. Dans un autre contexte estar para + infinitif = *être sur le point de*. Estou para sair = *je suis sur le point de sortir*.

12. **sério**. Remarquez l'adjectif à sens adverbial. Cet emploi est très courant en portugais.

Sum Alê : — Se me intrujas, não haverá perdão. Serás enforcado na praça pública...

(Atira-lhe, entretanto, uma garrafa cheia de milho. Tartaruga desaparece chocalhando[1] a garrafa e encaminha-se para um quintal[2] onde as galinhas esgaravatam a terra e atira os grãos de milho para[3] o chão.)

Tartaruga *(que, de repente, desata[4] aos gritos)* : — Quidá-lê ô ![5]... Qui...dá lê ô !... (Aqui d'el Rei[6] ! Aqui d'el Rei !)

A Dona da Casa *(que aparece, inquieta)* : — Que aconteceu[7], mofino[8] ?

Tartaruga *(apontando[9] uma galinha)* : — Aquela galinha engoliu um anel precioso do Senhor Rei...

A Dona da Casa : — Leva depressa a galinha, que eu não quero problemas com a justiça.

Tartaruga *(agarra[10] rapidamente a galinha e sai a cantar)* : — Já cá canta... Já cá canta[11]...

(Dirige-se em seguida para um campo onde os bois[12] da Fazenda[13] Quilonga pastam descuidados[14] e atira a galinha para debaixo das patas de um bovino.)

Tartaruga *(que desata a gritar[15] de novo)* : — Quidá-lê ô !... Quidá-lê ô !...

(Aparece o feitor, carrancudo[16], ameaçando o[17] Tartaruga com um bordão.)

Tartaruga : — Vai brincando[18], vai brincando, que depois brincarás com sua Majestade...

O Feitor *(atrapalhado)* : — Fala já[19] depressa, que eu não tenho paciência. Já sabes...

---

1. **chocalhar**, verbe formé sur chocalho = *le grelot*.
2. **o quintal** = *petit enclos derrière la maison, cultivé ou non*.
3. **para o chão** : para + un nom indique la direction = *vers*.
4. **desatar aos gritos** = pôr-se a gritar ; desatar a le sens de détacher ≠ atar mais desatar a = *se mettre à...*
5. **Quidá-lê ô**, déformation phonétique de Aqui d'el Rei.
6. **Aqui d'el Rei**, expression ancienne *(au secours)*.
7. **acontecer** = *arriver* (impersonnel), o acontecimento = l'événement ; arriver (personnel) = chegar.
8. **mofino** = infeliz, coitado.
9. **apontando**, du v. apontar (formé sur a ponta = *la pointe*) = *montrer (du doigt), pointer* ; montrer = mostrar.
10. **agarra**, du v. agarrar (< as garras = *les serres, les griffes)* = *agripper*.
11. **já cá canta**, tournure idiomatique = é minha, é meu.
12. **os bois**, au pluriel = *l'ensemble du troupeau, les vaches* ;

Sum Alê : — Si tu me gruges, il n'y aura pas de pardon. Tu seras pendue sur la place publique...

(Il lui lance cependant une bouteille pleine de maïs. La Tortue disparaît en agitant la bouteille et elle se dirige vers une cour où les poules grattent la terre et elle jette les grains de maïs sur le sol.)

La Tortue *(qui subitement se met à crier)* : — Au secours, au secours !

La Maîtresse de maison *(qui apparaît, inquiète)* : — Qu'est-il arrivé, malheureux ?

La Tortue *(montrant une poule)* : — Cette poule là-bas a avalé un anneau précieux de Sa Majesté le Roi...

La Maîtresse de maison : — Emporte vite cette poule, car moi, je ne veux pas de problèmes avec la justice.

La Tortue *(qui saisit rapidement la poule et s'en va en chantant)* : — Maintenant elle est à moi, elle est à moi...

(Elle se dirige aussitôt vers un champ où les vaches de la propriété Quilonga paissent tranquillement et elle lance la poule sous les pattes d'un bovin.)

La Tortue *(qui se met à crier de nouveau)* : — Au secours, au secours !...

(Le contremaître apparaît, renfrogné, menaçant d'un bâton monsieur La Tortue.)

La Tortue : — Tu peux t'amuser, tu peux t'amuser car tout à l'heure tu vas t'amuser avec Sa Majesté...

Le Contremaître *(décontenancé)* : — Parle donc vite, je n'ai pas de patience. Tu le sais bien...

---

au singulier le mot garde son sens premier *(le bœuf)*.
13. **a fazenda** = *la plantation* ; ce mot a aussi le sens de *tissu* (o tecido).
14. **descuidados**, adjectif à sens adverbial ; cuidado = *soigné*. Attention o cuidado = *le soin* et cuidado ! = *attention !*
15. **desatar a gritar** = desatar aos gritos.
16. **carrancudo**. Remarquez le suffixe udo (carranca = trogne + udo). Ce suffixe udo met l'accent sur un trait physique ou autre : ex. narigudo = *au grand nez* ; cabeludo = *chevelu*.
17. **o Tartaruga**. L'article o indique la personnification masculine de l'animal.
18. **vai brincando**, ir + gérondif indique une action qui dure et se déroule ; ici il y a un ton de menace.
19. **já** = *déjà, tout de suite, sur-le-champ*. Ici, il a une valeur de mise en relief ; já não = *ne plus*.

Tartaruga : — O imbecil daquele boi[1] matou a ave de estimação do Senhor Rei.

O Feitor : — Por um boi, eu não quero perder a minha situação. Leva o boi contigo, porque a minha manada[2] é numerosa.

(Com o boi preso[3] por uma corda, o Tartaruga segue o seu caminho.)

Tartaruga *(falando para consigo)* : Isto vai melhor do que[4] eu esperava...

(Mais adiante[5], um trabalhador está fazendo covas para plantar bananeiras[6]. Tartaruga estica[7] a corda que prende o boi, larga-a e o animal cai desamparadamente dentro da cova, partindo uma pata.)

Tartaruga *(num grande alarido, que cresce de intensidade)* : — Quidá lê ô !... Quidá-lê ô !...

(O administrador da Roça Gumbá, que passava a cavalo, estaca[8] a[9] montada[10] e olha sobranceiramente o Tartaruga, interpelando-o.)

O Administrador : — Tu não sabes que na minha roça só[11] entram senhores e escravos ?

Tartaruga : — Pois[12] é, pois é... mas acontece que aquele serviçal pastor aleijou o boi de raça do Senhor[13] Rei.

O Administrador *(dando uma valente chicotada[14] no trabalhador)* : — Entrega esse[15] animal ao Rei, porque a Curadoria prometeu-me mais cem bestas[16] para o trabalho.

---

1. **o imbecil daquele boi**, voir note 14, p. 13.
2. **a manada** = *le troupeau*, employé pour les bovins ; **a vara**, pour les porcs ; **o rebanho** sens général ou figuré.
3. **preso**, participe passé irrégulier de **prender** = *arrêter, retenir* ; mais *prendre* = **tomar, pegar, apanhar**. mot à mot *avec le bœuf retenu par une corde.*
4. **do que**. Remarquez l'emploi de **do** (DE + article **o**) devant la subordonnée qui comporte le 2e élément d'une comparaison.
5. **mais adiante** mot à mot = *plus en avant* (de **diante** = *devant*) ; **adiantar** = *avancer.*
6. **bananeiras**. Remarquez le suffixe **eira**, l'un des plus employés pour désigner un arbre fruitier ; **a pera** = *la poire* ; **a pereira** = *le poirier* ; **a manga** = *la mangue* ; **a mangueira** = *le manguier.*
7. **esticar** = *tirer, tendre ;* **esticar as pernas** = *tendre, se dégourdir les jambes* ; **esticar o passo** = *accélérer le pas.*

La Tortue : — Cet imbécile de bœuf a tué la volaille préférée de Sa Majesté le Roi.

Le Contremaître : — Pour un bœuf, moi je ne veux pas perdre ma situation. Emmène donc ce bœuf parce que mon troupeau est grand.

(Tirant le bœuf par une corde M. La Tortue suit son chemin.)

La Tortue *(en son for intérieur)* : — Ça va beaucoup mieux que ce que je pensais...

(Plus loin, un travailleur fait des trous pour planter des bananiers. La Tortue tire sur la corde qui retient le bœuf, la lâche et l'animal, livré à lui-même, tombe dans le trou en se cassant une patte.)

La Tortue *(dans une immense clameur qui va croissant)* : — Au secours, au secours...

(L'administrateur de la plantation Gumbá, qui passait à cheval, arrête net sa monture et regarde avec dédain M. La Tortue et l'interpelle.)

L'Administrateur : — Tu ne sais pas que sur ma plantation n'entrent que des maîtres et des esclaves ?

La Tortue : — Bien sûr, bien sûr... mais il se trouve que ce berger a estropié le bœuf de race de Sa Majesté le Roi.

L'Administrateur *(fouettant avec force le travailleur)* : — Remets cet animal au Roi parce que le Curateur m'a promis plus de cent bêtes de somme pour le travail.

---

8. **estaca**, du verbe estacar = *arrêter net. Ne pas confondre avec* **parar** *(arrêter)*, **deter** *(faire une halte et arrêter qqun)*.
9. **a.** Remarquez l'emploi de l'article à sens possessif, ce qui est courant en portugais lorsque le rapport de possession est évident.
10. **a montada**, du verbe **montar** = *monter (à califourchon)* ; ex. montar a cavalo ; *monter (sens général)* = **subir**.
11. **só**, ici adverbe = **somente** = *seulement*.
12. **Pois é**, tournure idiomatique = **sim** ; indique l'insistance.
13. **do Senhor**. Remarquez l'emploi courant de l'article **o** devant Senhor, sauf lorsque l'on interpelle la personne.
14. **chicotada**. Le suffixe **ada** peut indiquer *un coup de* ; **o chicote** = *le fouet*. Voir note 10, p. 19.
15. **esse** a une valeur péjorative.
16. **a besta**, peut avoir aussi un sens figuré ; uma besta = *un imbécile* ; ficar besta = *rester bouche bée* ; *une bête* = um animal ; *une bête fauve* = uma fera.

Tartaruga *(empurrando[1] a vítima, entra no Palácio Real gritando)* : — Senhor Rei[2], Senhor Rei ! Um grão de milho é ou não é o preço de um escravo ?

O Comentador, na actualidade[3], acrescenta :
— Isto era antigamente, no tempo dos colonos.
— Hoje a terra é do povo e a exploração[4] já acabou.
— Viva a independência !
— Viva a batalha da produção !
— Abaixo a exploração[5] !

---

1. **empurrando**, de empurrar = *pousser*. Attention **puxar** = *tirer* ; mais **tirar** = *ôter, enlever*.
2. Voir note 13, p. 23.
3. Les pays d'Afrique d'expression portugaise sont devenus indépendants, à partir de 1974, c'est-à-dire à partir de la chute du régime dictatorial portugais (Révolution des Œillets, le 25 avril 1974) ; la Guinée Bissau, le 10 septembre 1974, le Cap-Vert, le 5 juillet 1975, l'Angola, le 11 novembre 1975, le Mozambique, le 25 juin 1975 et São Tomé e Príncipe, le 12 juillet 1975.
4. **a exploração**, du verbe **explorar** = *exploiter* et aussi *explorer* ; **exploração** signifie *exploitation* et *exploration*.
5. Ce conte traditionnel a été publié dans la revue África n° 3 (janv.-mars 1979). Cette revue de littérature, d'art et de culture, plus spécialement ouverte aux pays d'expression portugaise a paru pour la 1re fois en juillet 1978.

La Tortue *(poussant la victime, entre dans le Palais royal en criant)* : — Votre Majesté, Votre Majesté ! Un grain de maïs, est-il oui ou non le prix d'un esclave ?

Le Commentateur, aujourd'hui, ajoute :

— Cela se passait autrefois, du temps des colons.

— Aujourd'hui la terre appartient au peuple et c'en est fini de l'exploitation !

— Vive l'indépendance !

— Vive la bataille de la production !

— A bas l'exploitation !

Révisions

Vous avez rencontré dans le conte traditionnel que vous venez de lire l'équivalent des expressions françaises suivantes.

Vous en souvenez-vous ?

1. Le cacao est en train de s'abîmer complètement.
2. Je manque de main-d'œuvre.
3. Puis-je vous aider ?
4. Fiche-moi la paix.
5. Hors de ma vue.
6. J'en ai assez de te supporter.
7. Ne t'en va pas.
8. Je n'ai pas envie de plaisanter.
9. Qu'est-il arrivé ?
10. Ça va mieux que ce que je pensais.
11. Cela se passait autrefois.

1. O cacau está a estragar-se todo.
2. Tenho falta de mão-de-obra.
3. Posso valer-lhe ?
4. Deixa-me em paz.
5. Desaparece da minha vista.
6. Estou farto de te aturar.
7. Não te vás embora.
8. Não estou para graças.
9. Que aconteceu ?
10. Isto vai melhor do que eu esperava.
11. Isto era antigamente.

Baptista BASTOS

Então que é isso ó[1] Vitinha ?!...

Voyons, qu'est-ce que c'est que ça, Vitinha ?!...

Baptista Bastos, né à Lisbonne en 1934, est avant tout journaliste et exerce ses talents au *Diário Popular* (quotidien de Lisbonne). Il publie des livres sur le cinéma, des romans : *O Secreto Adeus* (1963), *Cão Velho entre Flores* (1974) et des chroniques, *As Palavras dos outros* (1969). Le petit conte « Então que é isso ó Vitinha » est extrait de *Cidade Diária* (1972).

Entre a malta do meu bairro de menino, o Vitinha[2] ficou sempre no retábulo dos intocáveis. Tinha sobre todos nós a vantagem dos olhos azuis, dos caracóis loiros e do dinheiro aos[3] domingos, para o cinema e os rebuçados[4]. No pátio[5] da Surda, que era o centro do nosso universo, o sítio onde se conspiravam as púrrias[6], se contavam histórias, se fumavam cigarritos sorrateiros, no pátio da Surda, Vitinha tinha lugar de cabeça. Os pais compravam-lhe revistas com bonecos desenhados, e ele tinha um fato à maruja e boné[7] branco com pom-pom vermelho. Quando vínhamos da escola parávamos por ali : Naftalina[8], o Descasca-Milho[9], o Necas Bexiga[10], o Dá-e-Foge[11], o Pingado[12] e eu. Eu era o Transparente. Vitinha era o Vitinha. Intocável. Sem alcunha e intocável. Quando os rapazes das outras ruas puxavam os caracóis do Vitinha, logo a malta organizava uma púrria. Quando o Vitinha caiu pelas Escadinhas do Monte[13] e partiu a tola[14], fomos todos vê-lo a casa. Quando o Vitinha bateu no filho do Zé Caroço demos uma tareia no filho do Zé Caroço[15]. Quando o Vitinha roubou um ananás da porta da mercearia[16] do Meireles, confessei-me culpado.

Feita a quarta classe, os nossos pais decidiram que já sabíamos muito.

---

1. **Ó**. Ne.pas confondre **Ó** vocatif et **O**, l'article défini.
2. **Vitinha** = diminutif affectif de **Vítor** sans équivalent en français (petit Victor) ; remarquez l'emploi familier, courant, de l'article devant le nom ou le prénom.
3. **aos domingos**. La préposition **a** s'emploie pour un fait répétitif ; pour un cas précis, la préposition **em** (no domingo).
4. **rebuçados** = **balas** (Brésil) ; uma caixa de bombons = une boîte de chocolats (Portugal et Brésil).
5. **o pátio** = la cour ; nous avons employé le mot impasse car il s'agit d'une voie privée entre les maisons.
6. **púrria** (mot particulier à Lisbonne) = bagarre entre bandes rivales de différents quartiers.
7. **o Boné** (faux ami) = casquette ; le bonnet ≠ o gorro.
8. **O Naftalina**, surnoms significatifs devant être traduits. Emploi courant de l'article devant le sobriquet.

Dans la bande du quartier où je vivais quand j'étais enfant, Vitinha a toujours figuré au tableau des intouchables. Il avait sur nous tous l'avantage de ses yeux bleus, de ses boucles blondes et de son argent du dimanche pour le cinéma et les bonbons. Dans l'impasse de la Sourde qui était le centre de notre univers, l'endroit où se tramaient nos bagarres, où nous racontions des histoires et où nous fumions nos petites cigarettes clandestines, dans l'impasse de la Sourde, Vitinha était le chef. Ses parents lui achetaient des revues avec des personnages dessinés et il avait un costume marin et une casquette blanche à pompon rouge. Quand nous revenions de l'école, nous nous y arrêtions : Naphtaline, Dépanouilleur, Manu-la-Vérole, Cogne-la-Fuite, la Bouillie et moi. Moi, j'étais Transparent. Vitinha était Vitinha. Intouchable. Sans surnom et intouchable. Quand les garçons des autres rues tiraient les boucles de Vitinha, immédiatement la bande organisait une bagarre. Lorsque Vitinha est tombé dans les Escaliers du Mont et s'est fendu le crâne, nous sommes tous allés le voir chez lui. Lorsque Vitinha a tapé sur le fils de Seph Pépin, nous avons donné une raclée au fils de Seph Pépin. Quand Vitinha a volé un ananas devant la porte de l'épicerie de Meireles, j'ai dit que j'étais coupable.

Après le certificat d'études, nos parents ont décidé que nous savions déjà beaucoup de choses.

---

9. **descascar o milho** = *dépanouiller le maïs*. **Descascar** = *éplucher*; descascar batatas = *éplucher des p. de terre*.
10. **Necas** : diminutif de Manuel ou António ; **Bexiga** signifie aussi *la vessie*.
11. **Dá-e-foge** : dá = *donne (dar)* ; **foge** = *fuit (fugir)*.
12. **o pingado** = *café au lait très clair*; désigne aussi *un individu mollasson* (langue familière), d'où La Bouillie.
13. **Escadinhas do Monte** = nom d'un escalier qui se trouve dans le quartier de « Graça », quartier de Lisbonne.
14. **partir** = quebrar *(casser)* ; partir = ir embora *(partir)* ; partir a tola : expression argotique.
15. **Zé Caroço - caroço** = *noyau ;* o caroço de cereja = *le noyau de cerise* ; mais, a pevide (maçã) = *le pépin (pomme)*.
16. **a mercearia** = *épicerie* ; ne pas confondre avec mercerie retrosaria (Portugal) ou loja de aviamentos (Brésil).

Ficámos[1] contentes com a responsabilidade de ser homens e fomos cada qual à nossa vida. Vitinha para o liceu. Uns continuaram no bairro ; outros atravessaram a fronteira da rua antiga e foram para ruas novas, descobrindo a cidade. Vitinha cortou os caracóis, mas permaneceu de cabelos loiros e de olhos claros. Namorou a Amélia, que trabalhava na costura com a Dona Maria dos Remédios[2], e casou com uma rapariga[3] alta da Faculdade. « Parabéns, Vitinha », dissemos todos sorridentes e felizes quando o anjo intocável lá foi com a noiva[4], num automóvel negro e imenso. Falámos sempre no Vitinha, no decorrer dos anos. Era o único doutor[5] do bairro, e a nossa glória conseguida. Foi presidente de sociedades, discursou em actos[6] onde se proclamavam princípios, lá apareceu nos jornais, cheio de condecorações com o ar grave de quem medita e de quem serve. « O Vitinha. Vejam o Vitinha. Aquilo é que é um homem, um grande homem. » Dizíamos isto uns aos outros, os antigos rapazes do bairro, muito contentes pelo seu destino irretorquível.

Aqui[7] há semanas perdi o emprego, e aqui há dias a minha mulher, a Amélia, disse-me : « Vai ao Vitinha[8], homem[9] ; ele sempre há-de arranjar qualquer coisa. » Bela ideia. À noite disse aos amigos : Amanhã vou ver o Vitinha. Vou falar com ele...

Todos ficaram[10] alegres. « Dá lá[11] recomendações, pá[12] », disse o Naftalina. « Não te esqueças », avisou o Necas Bexiga.

---

1. **ficámos**. Remarquez l'accent sur la 1re personne du pluriel : ficamos = *nous restons*/ficámos = *nous restâmes* ou *nous sommes restés*. On ne fait pas de différence graphique au Brésil.
2. **Dona Maria dos Remédios.** Dona est la forme de respect que l'on emploie devant le prénom d'une femme.
3. **rapariga** = *jeune fille* ; au Brésil on emploie **moça**, rapariga étant *une femme de mauvaise vie*.
4. **a noiva** = *la fiancée* ; le mot **noiva** a aussi le sens de *jeune mariée*.
5. **doutor**. Titre donné à une personne titulaire d'un doctorat, puis de tout diplôme d'études supérieures ; ne pas confondre avec *docteur (médecin)* qui se dirait **médico**.
6. **actos** (Portugal) ; **atos** (Brésil) = *reuniões* ; a acta/a ata = *procès-verbal d'une réunion*.

Nous avons été contents de cette responsabilité d'être devenus des hommes et nous avons fait notre chemin chacun de notre côté. Vitinha au lycée. Quelques-uns sont restés dans le quartier ; d'autres ont traversé la frontière de la vieille rue et s'en sont allés vers de nouvelles rues, à la découverte de la ville. Vitinha a coupé ses boucles, mais a gardé ses cheveux blonds et ses yeux clairs. Il a fréquenté Amélia qui faisait de la couture avec *Dona Maria dos Remédios* et a épousé une jeune fille élancée de la faculté. « Félicitations, Vitinha », avons-nous tous dit, souriants et heureux, lorsque l'ange intouchable est parti avec sa jeune femme dans une immense voiture noire. Nous avons toujours parlé de Vitinha au fil des ans. Il était le seul diplômé du quartier et notre réussite glorieuse. Il fut président de sociétés, il fit des discours dans des réunions où l'on proclamait des idéaux, alors il apparut dans les journaux, plein de décorations avec l'air grave de celui qui médite et de celui qui est au service des autres. « Vitinha. Regardez Vitinha. Ça c'est un homme, un grand homme. » Nous nous disions cela les uns aux autres, les anciens garçons du quartier, très contents de son destin exemplaire.

Et voilà que j'ai perdu mon emploi il y a quelques semaines et voilà qu'Amélia, ma femme, il y a quelques jours, m'a dit : « Va donc voir Vitinha ; il trouvera bien quelque chose. » Brillante idée. Le soir j'ai dit aux amis : « Demain je vais voir Vitinha. Je vais lui parler. »

Ils en furent joyeux. « Donne-lui notre bon souvenir, mon vieux », dit Naphtaline. « N'oublie pas », recommanda Manu-la-Vérole.

---

7. **aqui** = *ici* ; dans le texte tournure emphatique = *voilà que*.
8. **Vai ao Vitinha.** Remarquez le sens de **ir ao** = *aller voir...* ; ex. : ir ao médico = *aller voir le médecin, aller chez le médecin.*
9. **homem**, mot vidé de son sens et qui ne sert qu'à renforcer, à insister.
10. **ficaram** (v. **ficar**). Ici **ficar** remplace le v. *être* (estar) parce qu'il s'agit du résultat d'une action antérieure.
11. **lá**. Remarquez que le français ne peut traduire dans cette expression le **lá** (adv. de lieu) qui renvoie à la maison de Vitinha.
12. **pá** = abréviation de **rapaz** ; emploi familier, emphatique, d'un usage très courant au Portugal.

No outro dia, lá fui ao prédio alto.

Disse o meu nome à empregada[1] do consultório, ela desapareceu por uma porta, e voltou quase a seguir : « O sr. dr.[2] pergunta se o seu assunto é urgente, se não pode esperar uns dias. »

Interrompi a empregada : « Olhe, diga ao sr. dr. que está aqui o Transparente. » Era uma invenção súbita, uma sigla[3] que a rapaziada[4] da antiga confraria entendia[5] abertamente. Ela voltou e disse : « Desculpe, mas o sr. dr. manda dizer[6] que não o conhece »...

---

1. **empregada** = *employée*.

2. **dr.** abréviation de **doutor** qui s'emploie dans les formes de politesse toujours précédée de « o senhor », lorsque l'on s'adresse à un titulaire d'un diplôme universitaire (médecin, avocat, professeur). **Sr**, abréviation de **Senhor**.

3. **a sigla** = *le sigle*.

4. **rapaziada**. Ici le suffixe **ada** désigne un ensemble. **o garoto** = *le gamin* ; **a garotada** = *les gamins*.

5. **entender** = *comprendre*, voir note 8, p. 9.

6. **manda dizer** = *fait dire* ; lorsque le verbe « faire » (+ infinitif) exprime un ordre, il se traduit par **mandar** ; dans les autres cas il se traduit par **fazer** : **o terramoto fez tremer a cidade** = *le tremblement de terre a fait trembler la ville*.

Le lendemain je me suis rendu dans le grand immeuble.

J'ai donné mon nom à la secrétaire du cabinet, elle a disparu par une porte et est revenue presque sur-le-champ : « Monsieur demande si votre affaire est urgente, si vous ne pouvez pas attendre quelques jours. »

J'ai interrompu la secrétaire : « Eh bien, dites à monsieur que c'est Transparent qui est ici. » C'était une invention soudaine, un code que les garçons de l'ancienne confrérie comprenaient parfaitement. Elle est revenue et a dit : « Excusez-moi, mais monsieur fait dire qu'il ne vous connaît pas. »

Révisions

Vous avez rencontré dans le conte que vous venez de lire l'équivalent des expressions françaises suivantes.

Vous en souvenez-vous ?

1. Quand Vitinha a tapé le fils de...
2. Nous avons donné une raclée au fils de...
3. Je me dis coupable.
4. Nous avons été contents de la responsabilité.
5. Chacun de notre côté nous avons fait notre chemin.
6. Félicitations !
7. Au fil des ans.
8. Ça c'est un homme !
9. Il trouvera bien quelque chose.
10. N'oublie pas !
11. Elle revint presque sur-le-champ.

1. Quando o Vitinha bateu no filho de...
2. Demos uma tareia ao filho de...
3. Confessei-me culpado.
4. Ficámos contentes com a responsabilidade.
5. Fomos cada qual à nossa vida.
6. Parabéns !
7. No decorrer dos anos.
8. Aquilo é que é um homem !
9. Ele sempre há-de arranjar qualquer coisa.
10. Não te esqueças !
11. Ela voltou quase a seguir.

Maria Isabel BARRENO

Os caminhos do poder

Les chemins du pouvoir

Maria Isabel Barreno est née en 1939 à Lisbonne. Après des travaux de type sociologique : *Os Trabalhadores e o Progresso Técnico* (1967), *A Condição da Mulher Portuguesa* (1968), elle se consacre à la littérature proprement dite, publie des romans : *De Noite as Àrvores São Negras* (1968), *Os Outros Legítimos Superiores* (1970), *A Morte da Mãe* (1979), *Inventário de Ana* (1982), *Célia e Celina* (1985). Elle est aussi l'auteur, avec Maria Teresa Horta et Maria Velho da Costa, de *Novas Cartas Portuguesas*. « Os Caminhos do Poder » est extrait de l'unique livre de contes de l'auteur : *Contos Analógicos* (1983).

Três vezes já saíra ele de casa, sempre voltando, atrás para ir buscar qualquer coisa que esquecera.

Primeiro fora a[1] gabardina, porque embora não estivesse a chover[2] hoje, poderia chover amanhã, e ele pensava não se apressar. Se a reunião acabasse[3] tarde, ele ficaria para o dia seguinte. Não queria fazer o longo caminho de volta guiando de noite, e como remate[4] de um dia cansativo, que já teria incluído a longa ida, na estrada cheia de trânsito[5] da manhã, e a reunião. A reunião preocupava-o.

Depois voltara atrás para ir buscar os óculos escuros. Parecia um contra-senso, gabardina e óculos escuros, mas hoje estava um sol[6] brilhante, o que não queria dizer que não chovesse[7] amanhã — o tempo no inverno é instável, e surpreende constantemente os próprios meteorologistas — e o caminho seria todo com sol nos olhos[8], guiando[9] para leste ; três horas, pelo menos, de sol baixo e claro[10], nos olhos.

Finalmente foi buscar as sanduíches[11] que a mulher lhe arranjara, de véspera. Assim, evitaria[12] parar no caminho... Já sabia que sentiria fome[13], porque era sempre entre as dez e as onze da manhã que sentia fome. Logo depois de se levantar da cama, com o estômago[14] ainda meio adormecido, apesar do duche[15] e de outras voltas[16] pela casa[17], só conseguia beber café[18].

---

1. **a gabardina**, voir note 9, p. 23.
2. **embora não estivesse a chover**, mot à mot *bien qu'il ne fût pas en train de pleuvoir* ; embora est toujours suivi du subjonctif, ici l'imparfait puisque le contexte est au passé.
3. **se a reunião acabasse**. Remarquez la phrase conditionnelle ; en portugais : se + subjonctif ; en français : si + indicatif.
4. **o remate** = *la fin, la conclusion*.
5. **cheia de trânsito** = *pleine de circulation*.
6. **mas hoje estava um sol** = *mais aujourd'hui il y avait un soleil*. Remarquez l'emploi de estar qui indique un état passager.
7. **que não chovesse** = que não choveria ; l'emploi stylistique du subjonctif souligne l'hypothèse.
8. **o caminho seria todo com sol nos olhos** = *le chemin serait tout entier avec du soleil dans les yeux*.

Trois fois déjà il était sorti de chez lui, revenant toujours en arrière pour aller chercher quelque chose qu'il avait oublié.

D'abord cela avait été sa gabardine, car, bien qu'aujourd'hui le temps ne fût pas à la pluie, il pourrait pleuvoir demain, et il pensait ne pas se presser. Si la réunion se terminait tard, il resterait le lendemain. Il ne voulait pas faire le long chemin du retour en conduisant de nuit, pour terminer une journée fatigante qui aurait déjà inclus le long voyage aller, sur la route tout encombrée de voitures le matin, et la réunion. La réunion le préoccupait.

Puis il était revenu en arrière pour aller chercher ses lunettes noires. Cela semblait un contresens, une gabardine et des lunettes noires, mais aujourd'hui le soleil brillait, ce qui ne voulait pas dire qu'il ne pleuvrait pas demain (le temps en hiver est instable, et surprend constamment les météorologues) et tout le long du chemin il aurait le soleil dans les yeux, puisqu'il conduisait vers l'est ; trois heures, au moins, de soleil bas et aveuglant, dans les yeux.

Finalement il alla chercher les sandwiches que sa femme lui avait préparés la veille. Comme cela, il n'aurait pas besoin de s'arrêter en route... Il savait déjà qu'il aurait faim, parce que c'était toujours entre dix heures et onze heures du matin qu'il avait faim. Tout de suite après s'être levé, l'estomac encore à moitié endormi, malgré la douche et d'autres allées et venues dans la maison, il ne réussissait qu'à boire du café.

---

9. **guiando** = **dirigindo** (Brésil).
10. **claro** = *clair*.
11. **uma sanduíche** = **um sanduíche** (Brésil).
12. **evitaria**, verbe evitar = *éviter*.
13. **sentiria fome** (verbe sentir). Remarquez l'expression ; on aura de même : **sentir frio** = *avoir froid* ; **sentir calor** = *avoir chaud*.
14. **com o estômago** = *l'estomac*. Remarquez la présence de la préposition com devant un complément de manière.
15. **o duche** = **a ducha** (Brésil).
16. **a volta** = *le tour*.
17. **pela casa.** Remarquez l'emploi de **por** (et non de em) pour indiquer qu'il y a mouvement dans un lieu.
18. **beber café.** Remarquez l'absence, en portugais, de partitif devant le complément.

Parecia que, enfim, estava equipado. Não se esquecera de nada ? Difícil ter a certeza[1]. Onde quer que fosse[2] acompanhava-o aquela impressão de que esquecera qualquer coisa. Qualquer coisa importante, que irromperia como uma catástrofe, quando ele menos esperasse[3]. Aliás, era este um sentimento que o acompanhava constantemente, na vida, e por isso as pessoas costumavam[4] dizer que ele estava sempre na defensiva : procurava estar em guarda quando as tais catastróficas consequências do seu lúgubre[5] e culpado esquecimento acontecessem.

Estrada fora[6] esperava-o o previsto. Sol nos olhos e muito trânsito. Só faltavam nuvens negras no horizonte para completar o quadro das suas expectativas. Sempre pelo pior era o seu lema. Assim, nunca ficava alarmado ou desesperado. E, por outro lado, quando as coisas corriam bem era sempre uma agradável surpresa.

Foi pelo meio do caminho[7] que aquele[8] pequeno incidente aconteceu. Um carro atrás de si, quase colado ; seguramente, não estava a mais de um metro. E ele ia a 100 à hora. O outro fazia sinais de luzes[9] e buzinava ; não conseguia ultrapassar porque a fila de trânsito em sentido contrário era ininterrupta, e ali a estrada era estreita.

« Que grande besta », pensou ; « como se eu tivesse[10] alguma culpa de que não consiga ultrapassar-me. E se eu travo[11] de repente, pode até[12] matar-me ». Continuou a ruminar insultos e preocupações, tentando descobrir o que fazer.

---

1. **difícil ter a certeza**. Remarquez l'absence de la préposition *de* en portugais.
2. **onde quer que fosse** = *où que ce soit qu'il fût.*
3. Voir note 7, p. 36.
4. **costumavam**, verbe costumar = *avoir l'habitude de.*
5. **lúgubre** = *lugubre.*
6. **estrada fora**. Remarquez l'emploi de l'adverbe fora *(hors de)* qui indique un mouvement d'éloignement.
7. **pelo meio do caminho :** pelo = aproximadamente.
8. **aquele** (démonstratif) indique un éloignement dans le souvenir.
9. **luzes** ; sing. a luz = *la lumière* ; os faróis = *les phares.*

Il semblait, enfin, qu'il était équipé. N'avait-il rien oublié ? Difficile d'en avoir la certitude. Quelle que fût sa destination, il avait toujours l'impression d'avoir oublié quelque chose. Quelque chose d'important, qui surgirait comme une catastrophe, lorsqu'il s'y attendrait le moins. D'ailleurs, c'était là un sentiment qu'il éprouvait constamment dans la vie, et c'est pourquoi les gens disaient généralement qu'il était toujours sur la défensive : il essayait d'être paré lorsque les fameuses conséquences catastrophiques de son oubli funeste et coupable se produiraient.

Sur la route, ce qu'il avait prévu l'attendait. Le soleil dans les yeux et une circulation intense. Il ne manquait que des nuages noirs à l'horizon pour compléter le tableau de ses prévisions. Toujours le pire, telle était sa devise. De cette façon, il n'était jamais alarmé ou désespéré. Et par ailleurs, lorsque les choses se passaient bien, c'était toujours une agréable surprise.

Ce fut vers le milieu du parcours que ce petit incident arriva. Une voiture derrière lui, presque collée ; elle n'était certainement pas à plus d'un mètre. Et il allait à 100 à l'heure. L'autre faisait des appels de phares et klaxonnait ; il n'arrivait pas à doubler parce que la file des voitures en sens inverse était continue et là, la route était étroite.

« Quel con », pensa-t-il, « comme si c'était ma faute s'il n'arrive pas à me doubler. Et si je freine brusquement, il peut même me tuer. » Il rumina encore insultes et préoccupations, essayant de découvrir ce qu'il fallait faire.

---

10. **como se eu tivesse.** Remarquez l'emploi obligatoire du subjonctif imparfait après **como se**.

11. **travo**, verbe **travar** = *freiner* ; **frear** ou **brecar** (Brésil).

12. **até** a ici le sens de **até mesmo** = *même* ; ne pas confondre avec **até** + complément = *jusqu'à*. Voir note 9, p. 10.

Finalmente, achou que o melhor seria ir abrandando[1] lentamente, até chegar a uma velocidade em que uma possível pancada na traseira do carro resultaria apenas[2] em trabalho de bate-chapa, mas não em funerais[3]. Ao mesmo tempo seria uma boa maneira de « ensinar[4] » aquele maníaco homicida : veria qual o resultado de chatear os outros sem razão nenhuma.

Assim fez, e durante uns[5] bons quilómetros foram a 40 à hora, ele à frente sorrindo com maldade para o espelho retrovisor, o outro atrás, suando[6] de raiva e buzinando em som contínuo[7]. Por fim, houve uma aberta no trânsito em sentido contrário. O outro aproveitou : passou com grandes roncos de aceleração, e bem rente[8]. Gritaram ambos, e fizeram toda a variedade de gestos feios que conheciam, e depois separaram-se, ambos moendo[9] azedume armazenado no estômago, o louco apressado[10] desaparecendo adiante, numa curva.

Quando ele chegou ao seu destino já quase esquecera o incidente : a sua cabeça[11] ocupava-se fundamentalmente de previsões pessimistas[12] e de receios de esquecimentos, e havia pouco espaço para ruminar rancores — ou alegrias — passados.

Arrumou o carro e dirigiu-se ao edifício onde teria lugar a reunião : deveria[13] lembrar-se de lhe chamar « meeting », porque era essa a palavra usada pelos iniciados, e era um encontro de todos os delegados de vendas, do norte, centro e sul do país, realizado naquela cidadezinha idiota, remota para a maioria, por arbitrariedade do patrão, que também comparecia, « para encorajar a rapaziada »[14].

---

1. **abrandando**, verbe abrandar *(adoucir)* de l'adjectif brando *(doux)*. Remarquez la forme progressive (ir + gérondif) pour indiquer la durée.
2. **apenas** = *ne... que, seulement, uniquement.*
3. **funerais**, pluriel de funeral.
4. **ensinar** = *enseigner, apprendre à qqun ;* mais aprender signifie *apprendre soi-même, étudier.*
5. **uns,** synonyme de alguns = *quelques ;* il n'est pas le pluriel de um ; um livro : *un livre ;* livros : *des livres ;* alguns livros : *quelques livres.*
6. **suando**, verbe suar *(suer) ;* o suor = *la sueur.*
7. **buzinando em som contínuo**, mot à mot *klaxonnant en son continu.*
8. **rente** = *ras.*

Finalement, il trouva qu'il vaudrait mieux ralentir, petit à petit, doucement, jusqu'à arriver à une vitesse qui transformerait un choc possible sur l'arrière de la voiture uniquement en intervention de carrossier et non en obsèques. En même temps ce serait un bon moyen de lui « apprendre » à ce maniaque homicide : il verrait ce que cela donne de casser les pieds aux autres sans raison aucune.

Il fit de la sorte, et pendant quelques bons kilomètres ils allèrent à 40 à l'heure, lui devant, souriant méchamment face au rétroviseur et l'autre derrière, avec des sueurs froides de rage et le klaxon coincé. Enfin, il y eut une brèche dans la file de voitures en sens inverse. L'autre en profita : il passa avec de grands ronflements d'accélération et en le frôlant. Ils crièrent tous deux et exécutèrent toute la variété de gestes grossiers qu'ils connaissaient, puis se séparèrent, ressassant tous deux l'aigreur emmagasinée dans leur estomac, le fou de vitesse disparaissant plus loin dans un virage.

Lorsqu'il arriva à destination il avait déjà presque oublié l'incident : son esprit s'occupait essentiellement de prévisions pessimistes et de craintes d'oublis, et il y avait peu de place pour ruminer des rancœurs — ou des joies — passées.

Il rangea sa voiture et se dirigea vers l'immeuble où aurait lieu la réunion : il aurait dû se souvenir qu'il fallait l'appeler « meeting », car c'était le mot utilisé par les initiés, et c'était une rencontre de tous les délégués de ventes, du nord, du centre et du sud du pays, qui avait lieu dans cette petite ville insipide, loin, pour la plupart d'entre eux, par décision arbitraire du patron qui venait aussi « pour encourager les garçons ».

---

9. **moendo**, verbe **moer** *(moudre)*.
10. **apressado** = **com pressa** *(pressé)*.
11. **a cabeça** = *la tête,* mais **o cabeça** : *le chef.*
12. **pessimistas**. Attention, les mots se terminant par le suffixe **ista** ont la même forme au masc. et au fém. Par exemple : um homem pessimista ; um jornalista ; uma jornalista.
13. **deveria lembrar-se** : en portugais le temps simple suffit pour marquer l'antériorité.
14. **rapaziada**, voir note 4, p. 32.

Tudo se passou como de costume. Números e estimativas, e depois a habitual demagogia do patrão, que tinha a mania de imitar os homens de negócios dos filmes americanos, puxando[1] os suspensórios e pondo os pés em cima das mesas. Palmadas[2] nas costas aos que tinham vendido mais, sobrolho franzido para os outros, e sempre histórias de como ele também começara como vendedor e chegara ao que chegara, lendo, porque também é preciso saber, e com bom senso, porque isso é a base de tudo, mas fundamentalmente com faro — « faro », repetia, encostando o dedo indicador direito à narina direita, « um vendedor sem faro é como um artista sem talento ».

Foi[3] então que o patrão contou a história, a propósito da igualmente necessária rapidez de acção, num vendedor : como fora imbecilmente retardado no seu caminho por um lesma[4] que guiava a quarenta à hora no meio da estrada. Enquanto o patrão concluía que gente assim nunca faz nada na vida[5], ele recordou, e reconheceu, em pânico, o perfil do maníaco que o ultrapassara.

Não pôde[6] deixar[7] de pensar na gabardina, nos óculos escuros e nas sanduíches, os três atrasos que tinham determinado o fatídico encontro. Passou o resto do dia a inventar o esquema seguro de impedir que o patrão alguma vez o relacionasse com o seu carro, e chegou à conclusão que o melhor seria vender o automóvel, apesar de novo[8].

---

1. **puxando** : voir note 1, p. 24.
2. **palmadas** : voir note 10, p. 19.
3. **foi**, dans ce cas-là, le français ne respecte pas la concordance des temps.
4. **um lesma**. Lorsqu'il s'agit de l'animal on dit uma lesma, mais lorsqu'il est appliqué de façon figurée à un individu, le genre change.
5. **gente assim nunca faz nada na vida**. Remarquez que le mot gente a un sens collectif et que le présent **faz** a la valeur d'un futur, ce qui est très courant en portugais.
6. **pôde** : ne confondez pas avec **pode** = *il peut* (présent).
7. **deixar** = *laisser* ; mais **deixar de** = *cesser de, manquer de* ; ici *s'empêcher de*. Ex. : Não deixes de ver o filme, *Ne manque pas de voir ce film* ; ele deixou de fumar, *il a cessé de fumer.*
8. **apesar de novo** = **embora fosse novo** = *bien qu'elle fût neuve* ; nous avons employé le présent du subjonctif — bien qu'elle soit neuve — puisqu'il s'agit d'une langue familière.

Tout se passa comme à l'habitude. Chiffres et prévisions, puis ensuite l'habituelle démagogie du patron qui avait la manie d'imiter les hommes d'affaires des films américains, en tirant sur ses bretelles et en mettant les pieds sur les tables. De petites tapes dans le dos de ceux qui avaient vendu davantage, le sourcil froncé pour les autres, et toujours des histoires racontant comment lui aussi il avait commencé comme vendeur et était arrivé là où il en était en lisant, car il faut aussi se documenter et avec bon sens, parce que c'est la base de tout mais essentiellement avec flair — « flair », répétait-il, appuyant son index droit sur sa narine droite, « un vendeur sans flair est comme un artiste sans talent ».

C'est alors que le patron raconta l'histoire, à propos de la rapidité d'action également nécessaire chez un vendeur : comment il avait été bêtement retardé dans son voyage par une limace qui conduisait à 40 à l'heure au milieu de la route. Tandis que le patron disait pour conclure que des gens comme ça ne feront jamais rien dans la vie, il se rappela, et reconnut, affolé, le profil du maniaque qui l'avait doublé.

Il ne put s'empêcher de penser à la gabardine, aux lunettes noires et aux sandwiches, les trois retards qui avaient déterminé la rencontre fatidique. Il passa le reste de la journée à inventer un système sûr qui empêcherait son patron un jour de faire le rapprochement entre lui et sa voiture, et décida finalement qu'il vaudrait mieux vendre son automobile, bien qu'elle soit neuve.

Révisions

Vous avez rencontré dans le conte que vous venez de lire l'équivalent des expressions françaises suivantes.

Vous en souvenez-vous ?

1. En revenant en arrière.
2. Bien que le temps ne fût pas à la pluie.
3. Si la réunion se terminait tard, il resterait le lendemain.
4. En conduisant de nuit.
5. Difficile d'en avoir la certitude.
6. Lorsqu'il s'y attendrait le moins.
7. La voiture n'était pas à plus d'un mètre.
8. Il faisait des appels de phares et klaxonnait.
9. Il n'arrivait pas à doubler.
10. En sens inverse.
11. Il vaudrait mieux ralentir petit à petit.
12. Tout se passa comme d'habitude.
13. Le sourcil froncé.
14. Il ne put s'empêcher de penser.

1. Voltando atrás.
2. Embora não estivesse a chover.
3. Se a reunião acabasse tarde, ele ficaria para o dia seguinte.
4. Guiando de noite.
5. Difícil ter a certeza.
6. Quando ele menos esperasse.
7. O carro não estava a mais de um metro.
8. Ele fazia sinais de luzes e buzinava.
9. Ele não conseguia ultrapassar.
10. Em sentido contrário.
11. O melhor seria ir abrandando.
12. Tudo se passou como de costume.
13. Sobrolho franzido.
14. Não pôde deixar de pensar.

Rubem BRAGA

Os portugueses e o navio

Les Portugais et le bateau

Rubem Braga est né en 1913 au Brésil, dans l'État de Espírito Santo. Il fait des études de droit, du journalisme, et publie son premier livre de chroniques en 1936 : *O Conde e o Passarinho*. Puis, par la suite : *Um Pé de Milho* (1948), *A Borboleta Amarela* (1955), *200 Crônicas Escolhidas* (1977). Sous sa plume, la chronique dépasse le domaine purement journalistique et acquiert ses lettres de noblesse. Dans une langue simple, les faits quotidiens se transforment en petits contes où l'humour a souvent une place de choix. « Os Portugueses e o navio » extrait de *Ai de Ti Copacabana* (1962) en sont un échantillon. Rubem Braga a travaillé pour la revue *Manchete*, les quotidiens *Diário de Notícias*, *Última Hora*, etc. ; depuis 1984, il est journaliste de télévision à *TV Globo*.

Antônio Maria contou que uma vez ia num táxi guiado por um chofer português velho, bigodudo[1], calado, de cara triste. Quando o carro chegou à praia o chofer viu um barco e exclamou, apontando com o braço esticado, os olhos brilhantes, num tom de descoberta, desafio e alegria :

— Olha[2] o[3] navio pequenino[4] !

Essa fascinação dos portugueses pelos navios me salvou a tarde[5] de ontem. Eu tinha de ir à Alfândega e, portanto, passar pela Praça Mauá[6]. O português[7] do volante vinha praguejando[8] contra o calor, contra os outros carros, contra tudo. Antes dele eu vi o *Vera Cruz*[9] encostado no cais, e disse : « Olhe o *Vera Cruz*, que navio bonito ! »

Ele recebeu isso como um elogio pessoal e começou a falar do navio com entusiasmo, até conhecia um maquinista de bordo e visitara todo o gigante : « tem oito andares, mas tem elevador ! »

Pelas cinco[10] e pouco, ao voltar para casa, me tocou[11] outro volante português. Na altura do Flamengo[12] divisei o navio, que marchava[13] para a saída da barra, e resolvi elogiar novamente o barco, para ver o efeito. Foi maravilhoso. « É realmente, é realmente, é um belo navio ! »

---

1. **bigodudo** - udo : suffixe qui permet de former des adjectifs ; il attire l'attention sur un détail physique. Cf. aussi note 16, p. 21.
2. **olha**, forme populaire pour **olhe**. Cf. note 16, p. 30.
3. **o navio**, l'article défini peut se traduire par un démonstratif, valeur fréquente en portugais.
4. **pequenino** - ino : est une marque de diminutif rare - pequeno = *petit* ; pequenino = *tout petit*.
5. **a tarde.** Remarquez que cette fois l'article a une valeur de possessif, ce qui est également fréquent.
6. **Praça Mauá**, place de Rio de Janeiro située près du port. Mauá (1813-1889) a contribué au développement industriel du Brésil. On lui doit, entre autres, la première voie de chemin de fer.
7. **O português.** Notez que la règle de l'emploi des majuscules n'est pas la même en portugais et en français.

46

Antônio Maria raconta qu'un jour il était dans un taxi conduit par un chauffeur portugais âgé, moustachu, silencieux, l'air triste. Lorsque la voiture arriva vers la plage le chauffeur vit un navire et s'exclama, le montrant de son bras tendu, les yeux brillants, sur un ton de découverte, de défi et de joie :

— Regardez ce tout petit bateau !

Cette fascination des Portugais pour les bateaux m'a sauvé mon après-midi d'hier. Je devais aller à la Douane et, donc, passer par la place Mauá. Le Portugais qui était au volant occupait son temps à pester contre la chaleur, contre les autres voitures, contre tout. Avant lui j'aperçus le *Vera Cruz* au bord du quai, et je dis : « Regardez le *Vera Cruz*, quel beau bateau ! »

Il prit cela comme un éloge personnel et commença à parler du bateau avec enthousiasme ; il connaissait même un machiniste du bord et avait visité le géant tout entier : « Il a huit étages, mais il a un ascenseur ! »

Vers cinq heures et quelques, pour revenir à la maison, j'eus droit à un autre volant portugais. A la hauteur de Flamengo je remarquai le bateau qui se dirigeait vers la sortie de la barre, et je décidai de vanter encore une fois le navire, pour voir l'effet produit. Ce fut une merveille. « C'est vraiment, c'est vraiment, c'est un bateau splendide ! »

---

8. **vinha praguejando.** Remarquez la forme progressive avec vir *(venir)* et le gérondif.
9. **Vera Cruz** = *la sainte croix*, nom du bateau ; c'est aussi le nom que Pedro Álvares Cabral a donné au Brésil en 1500 lors de sa découverte qui eut lieu le jour de cette fête religieuse.
10. **Pelas cinco horas** : por, devant une expression de temps indique l'approximation = *por volta de (aux environs de..., vers)*. Remarquez l'emploi de l'article défini **(as)** devant l'heure, d'où la contraction pelas (por + as = pelas).
11. **me tocou** - tocar a aussi le sens de *toucher*, de *jouer d'un instrument*, parfois aussi le sens d'*aller* (tocar para a frente).
12. **Flamengo** = quartier de Rio (zone sud), en bord de mer.
13. **marchava.** Attention *marcher* se traduit par **andar**.

Fiz notar[1] que o Brasil não tinha nenhum navio de passageiros tão grande e tão bonito, e isso animou ainda mais o homem. Acabou confessando que em sua opinião não era somente o Brasil que não possuía um navio assim : país nenhum do mundo. Os ingleses, os americanos, os franceses, os italianos têm bons navios, sim, bons navios, mas nenhum tão bonito. « O senhor não acha ? » Desconversei[2], « esse aí eu vou ver passar de minha janela em Ipanema ». Discordou : o navio tinha grande velocidade e cortava[3] muito caminho por onde ia. Discutimos um pouco, eu jogando[4] no táxi dele, e ele apostando no navio.

Em Copacabana voltamos a ver[5] o barco, na altura da Cotunduba[6]. Fiz-lhe ver que eu estava ganhando a aposta : « já passamos na frente ». Ele balançou a cabeça : « agora é que ele vai desenvolver a velocidade. »

Na Vieira Souto[7] ele teve de se render à evidência : o navio mal apontava[8] no Arpoador[9] e nós já estávamos perto do Posto 8[10]. Mas arrumou[11] uma explicação : « o comandante mandou tocar devagar para os passageiros verem[12] a paisagem. »

Fiz uma reflexão :

— Quer dizer que é assim[13] : o navio a ver[14] a paisagem e a paisagem a ver o navio.

E graças a isso, quando lhe paguei a corrida[15] ele me perguntou se eu era poeta : « isto que o senhor disse eu vou repetir à patroa.[16] »

---

1. **notar,** faux ami = *remarquer. Noter, prendre des notes* = anotar, apontar. *Les notes* = os apontamentos.
2. **desconversei,** du verbe conversar + préfixe des = *changer de conversation,* d'où *faire la sourde oreille.*
3. **cortar caminho** = *prendre un raccourci* ; cortar = *couper.*
4. **jogando,** gérondif de jogar qui a aussi le sens de *jeter* (Brésil) ; jogar fora = *jeter.*
5. **voltamos a ver** = tornamos a ver *(répétition).* Remarquez l'absence de l'accent aigu sur la 1re personne du pluriel du prétérit. Au Portugal : **voltámos, tornámos** (voir note 2, p. 26).
6. **Cotunduba** : l'une des petites îles que l'on aperçoit dans la baie de Guanabara (Rio).
7. **Vieira Souto,** l'une des avenues d'Ipanema (zone sud).
8. **mal apontava,** mal placé devant le verbe a souvent le sens de : *à peine* ; mal chegou = *à peine arriva-t-il,* mais trabalha mal = *il travaille mal.* apontava, ici = *arriver, poindre* (note 7, p. 20).

Je fis remarquer que le Brésil n'avait aucun navire pour passagers aussi grand et aussi beau, et cela encouragea notre homme plus encore. Il finit par avouer qu'à son avis ce n'était pas que le Brésil qui ne possédait pas de bateau semblable mais aucun pays au monde. Les Anglais, les Américains, les Français, les Italiens ont de bons bateaux, certes, de bons bateaux, mais aucun aussi beau. « Vous ne trouvez pas ? » Je fis la sourde oreille. « Celui-là je vais le voir passer de ma fenêtre à Ipanema. » Il ne fut pas d'accord : le bateau allait très vite et par la route qu'il empruntait le chemin était plus court. Nous en discutâmes un moment, moi misant sur son taxi, et lui pariant sur le bateau.

A Copacabana nous revîmes le bateau, à la hauteur de la Cotunduba. Je lui montrai que j'étais en train de gagner le pari : « Nous l'avons déjà dépassé. » Il hocha la tête : « C'est maintenant qu'il va augmenter sa vitesse. »

Sur la Vieira Souto il dut se rendre à l'évidence : le bateau arrivait à peine au Arpoador, alors que nous étions déjà près du Poste 8. Mais il assena une explication : « Le commandant a donné l'ordre d'aller doucement pour que les passagers puissent voir le paysage. »

Je fis une réflexion :

— Alors c'est comme ça : le bateau regarde le paysage et le paysage regarde le bateau.

C'est à cause de cela que, lorsque je lui payai la course, il me demanda si j'étais poète : « Ce que vous venez de dire je vais le répéter à la patronne. »

---

9. **Arpoador**, petit cap séparant **Copacabana** d'Ipanema.
10. **Posto 8**, la plage de **Copacabana** est divisée en « postes », correspondant aux postes de surveillance.
11. **arrumar** a aussi le sens de *ranger*.
12. **verem**. Remarquez l'emploi de l'infinitif personnel, pour plus de clarté.
13. **quer dizer que é assim** = mot à mot *vous voulez dire que c'est ainsi*.
14. **a ver o navio**, le jeu de mots est implicite avec l'expression : ficar a ver navios = *être mené en bateau ; n'y voir que du feu*.
15. **a corrida**, du verbe **correr** *(courir)*. Ne confondez pas avec *la corrida (spectacle de taureaux)* = a tourada.
16. **a patroa** = façon populaire de désigner *l'épouse*.

O casal de portugueses da portaria conversava com o porteiro do lado e o zelador do edifício da frente, todos portugueses. Dei a notícia : « o Vera Cruz está passando lá no mar. »

O *Vera Cruz* ! O *Vera Cruz* ! E saíram todos para a praia ; no caminho arrebanharam[1] mais um português[2] que passava :

— O *Vera Cruz*, homem[3], venha depressa, venha !

E lá se foram a correr[4], os pedros álvares cabrais[5]...

Rio, março, 1956.

---

1. **arrebanharam**, 3e personne du pluriel prétérit de **arrebanhar**, formé sur **o rebanho** = *le troupeau* (voir note 2, p. 22).
2. **mais um português** = mot à mot *un portugais de plus*. Attention à la place de **mais** ; ex. : **mais três** = *trois de plus* ou *encore trois*. Ne confondez pas avec *a mais*, placé d'ailleurs après le nom (= en trop) : **um português a mais** = *un portugais en trop*.
3. **homem**, ce mot employé comme interjection est vidé de son sens.
4. **a correr** = **correndo**. Remarquez la tournure lusitanienne, employée ici par l'auteur (ironie).
5. **os pedros álvares cabrais**. L'absence de majuscules montre que l'auteur fait de ce nom propre un nom commun qui représente les Portugais (**os portugueses**) dans leur ensemble. Remarquez **cabrais**, pluriel de **Cabral**. En français on ne met généralement pas les noms propres au pluriel.

Le couple de Portugais de la loge bavardait avec le gardien d'à côté et le concierge de l'immeuble d'en face, tous Portugais. Je fis part de la nouvelle : « Il y a le *Vera Cruz* qui passe là-bas en mer. »

Le *Vera Cruz* ! Le *Vera Cruz* ! Et ils partirent tous vers la plage ; en chemin ils enrôlèrent un autre Portugais qui passait :

— Le *Vera Cruz*, mon vieux, venez vite, allez !

C'est en courant qu'ils y allèrent, les Pierre Álvares Cabral.

Rio, mars, 1956

Révisions

Vous avez rencontré dans la chronique que vous venez de lire l'équivalent des expressions françaises suivantes.
Vous en souvenez-vous ?

1. Je devais aller.
2. Vers cinq heures et quelques.
3. Je décidai de vanter encore une fois le navire.
4. Ce fut une merveille.
5. Il finit par avouer.
6. Vous ne trouvez pas ?
7. Nous revîmes le bateau.
8. Je lui montrai.
9. Pour que les passagers puissent voir le paysage.
10. Venez vite.

1. Eu tinha de ir.
2. Pelas cinco e pouco.
3. Resolvi elogiar novamente o navio.
4. Foi maravilhoso.
5. Acabou confessando.
6. O senhor não acha ?
7. Voltamos a ver o barco.
8. Fiz-lhe ver.
9. Para os passageiros verem a paisagem.
10. Venha depressa.

Mário de CARVALHO

O tombo[1] da Lua

La dégringolade de la Lune

Mário de Carvalho est né à Lisbonne en 1944. Avocat de profession, il n'en publie pas moins une série de contes : *Contos da Sétima Esfera* (1981), *Fabulário* (1984), *Era uma vez um Alferes* (1984) et un roman : *Livro Grande de Tebas, Navio e Mariana* (1983).

Le fantastique et l'humour sont les traits dominants de son œuvre. On en jugera par « O Tombo da Lua », extrait de *Casos do Beco das Sardinheiras* (1982).

Uma ocasião, quando desapareceu a Lua[2], eu estava lá e sei contar tudo. Não me lembro da idade que então tinha e já na altura não me lembrava. Certo é que a noite estava muito quente e repassada[3] de azul, assim de tinta — sóe[4] dizer-se — e a Lua tinha-se quieta, redonda e branca, brilhante como lhe competia[5]. Provavelmente o Zé Metade[6] cantava o fado[7], postado à soleira da porta, enquanto[8] acabava um saquitel de tremoços. O Zé Metade é assim chamado desde que lhe aconteceu uma infelicidade : quis separar o Manecas[9] Canteiro do Mota Cavaleiro quando eles se envolveram à facada na Esquina dos Eléctricos, por causa de uma questão[10], segundo uns política, segundo outros de saias. Ambos usavam grandes navalhas sevilhanas e o Zé caiu[11]-lhe mesmo a meio dos volteios. Ali ficou cortado em dois, sem conserto[12], busto para um lado, o resto para outro. Daí para diante ficou conhecido por Zé Metade, arrasta-se num caixote de madeira com rodinhas e deu-lhe para cantar[13] todas as noites um fado melancólico e muito sentido : *« Ai a profunda desgraça/Em que me viste ó'nha mãiiii...* [14] *»*

Pois foi nesta altura, com tudo assim quieto[15] e a fazer olho para dormir, que o André da Mula se chegou à janela e disse : « lá a calari[16]... » e depois remirou em volta a ver se alguém lhe ligava[17], o que não aconteceu.

---

1. **tombo** - levar, dar um tombo = *tomber, se ramasser par terre* (fam.) ; cair = *tomber* ; a queda = *la chute*.
2. En portugais on met des majuscules aux noms d'astres, de mois, de saisons.
3. **repassada**, p. p. de repassar = *tremper, imbiber, repasser* (passer plusieurs fois).
4. **soer**, verbe archaïque *(avoir l'habitude de)*. Aujourd'hui costumar + infinitif. Attention : o costume = *l'habitude*.
5. **como lhe competia** ; competir = *incomber, échoir* ; < competir com alguém : *rivaliser avec qq.un*.
6. **Zé Metade**, surnoms significatifs devant être traduits. Zé est le diminutif courant de José (Joseph) d'où « Seph ».
7. **o fado** = *le destin* ; chanson populaire de certains quartiers de Lisbonne, qui chante les bonheurs et les peines.

Lorsque la lune a disparu, une fois, je me trouvais là et je peux tout raconter. Je ne me souviens pas de l'âge que j'avais alors et déjà à l'époque je ne m'en souvenais pas. Ce qui est sûr, c'est que la nuit était très chaude et imbibée de bleu, comme de peinture — dit-on — et la lune se tenait tranquille, ronde et blanche, brillante ainsi qu'elle le devait. Seph Moitié chantait vraisemblablement le *fado*, posté sur le seuil de la porte, tout en finissant un sachet de lupins. Seph Moitié est ainsi appelé depuis qu'un malheur lui est arrivé : il a voulu séparer Manu le Marbrier de Mota le Chevalier quand ils en sont venus au couteau au Coin des Tramways, à cause d'une querelle de politique selon les uns, de jupons selon les autres. Tous deux avaient de grandes *navajas* sévillanes et Seph s'embrocha juste au milieu des moulinets qu'ils faisaient. Il fut alors coupé en deux, sans réparation possible, le buste d'un côté, le reste de l'autre. A partir de ce moment-là on le connut sous le nom de Seph Moitié ; il se traîne dans une caisse de bois sur des roulettes et il a décidé de chanter tous les soirs un *fado* mélancolique et très poignant : « *Ah ! le profond malheur où tu m'as vu, oh m'man...* »

En effet, c'est à ce moment-là, alors que rien ne bougeait et que tout se préparait à dormir, que Andrade le Muletier s'approcha de la fenêtre et dit : « Ferme-la... », et ensuite il lança un coup d'œil circulaire pour voir si quelqu'un faisait attention à lui, ce qui ne fut pas le cas.

---

8. **enquanto** = *tandis que, pendant que*.
9. **Manecas** = diminutif de *Manuel*.
10. **questão** = *question* et aussi *querelle, problème* ; fazer questão = *se faire un devoir de*.
11. **caiu-lhe mesmo a meio** = *il lui tomba juste au milieu*.
12. **o conserto** < consertar = *réparer* ; reparar = *remarquer*.
13. **deu-lhe para cantar** = resolveu cantar.
14. **'nha mãi** : déformation populaire de **minha mãe**.
15. **com tudo assim quieto** = m. à m. *avec tout ainsi tranl-*
16. **lá a calari** : écriture phonétique de (vamos) lá a calar.
17. **ligar** aussi *brancher*, d'où **desligar** = *débrancher*.

Após olhou para[1] o Céu e bocejou um destes bocejos do tamanho duma casa, escancarando muito a bocarra[2] que era considerada uma das mais competitivas da zona oriental. E então aconteceu aquilo da Lua.

Deslocou-se um bocadinho[3] assim como quem se desequilibrou, entrou a descer[4] devagar, ressaltou numa ponta de nuvem que por ali pairava feita[5] parva, e foi enfiar-se inteirinha na boca do Andrade que só fez « gulp » e esbugalhou os olhos muito[6]. No sítio da Lua, lá no astro, ficou um vinco[7] esbranquiçado[8] como dobra[9] em papel de seda que logo se apagou e o céu tornou-se bem liso e escorreito[10]. O Beco ficou um tudo nada[11] mais escuro e um gato passou a correr, pardo[12], da cor dos outros.

Diz o Zé Metade, no fim duma estrofe : « Ina cum caraças[13] ! »

Vai o Andrade lá de cima e atira o maior arroto que jamais se ouviu naquele Beco.

Era o Zé Metade a berrar para dentro : « 'nha mãe[14], venha cá, senhora, co[15] Andrade engoliu a Lua ! » e o Andrade a olhar para nós, limpando a boca com as costas da mão, um ar azamboado.

Seguiu-se o alvoroço costumeiro sempre que havia novidade. Ia um corropio de pessoal[16] na rua a falar alto e um ror de gente em casa do Andrade que estava sentado numa cadeira, pernas muito afastadas, pedindo muita água e queixando-se de que sentia a barriga um bocado pesada.

---

1. **olhou** < **olhar**. Ce verbe a deux constructions possibles : olhar o céu et olhar para o céu.
2. **a bocarra**, < de boca + suffixe augmentatif (peu courant) arra. La plupart des mots n'acceptent que le suffixe ão : a palavra (le mot) ; o palavrão (le gros mot, sens figuré).
3. **bocadinho**, < bocado (morceau) + diminutif inho.
4. **entrou a descer** = começou a descer.
5. **feita**, participe passé irrégulier de **fazer** ; il a perdu ici cette valeur et signifie como.
6. **muito**. Remarquez la place de **muito**, ainsi mis en valeur.
7. **vinco** = pli ; o vinco das calças = le pli du pantalon, mais as pregas de saia = les plis de la jupe.
8. **esbranquiçado** < de branco + suf. ado : de vermelho (rouge), avermelhado (rougeâtre) ; de verde, esverdeado (verdâtre).

Puis il regarda le ciel et fut pris d'un bâillement, un de ces bâillements de la taille d'une maison et ouvrit toute grande son immense bouche qui était considérée comme l'une des plus compétitives de la zone orientale. Et c'est alors que se produisit cette histoire de lune.

Elle se déplaça un tout petit peu comme quelqu'un en déséquilibre, elle se mit à descendre doucement, rebondit sur la pointe d'un nuage qui planait par là comme un idiot et alla se fourrer tout entière dans la bouche de Andrade qui ne fit que « gloup » et écarquilla tout grands les yeux. A la place de la lune, là-haut, sur l'astre, il resta un pli blanchâtre, comme une pliure dans un papier de soie qui s'effaça aussitôt et le ciel redevint tout lisse et sans tache. L'Impasse se fit un tantinet plus sombre et un chat passa en courant, gris, de la couleur des autres.

Seph Moitié dit, à la fin d'une strophe : « Par tous les diables ! »

Et voilà qu'Andrade, de là-haut, lance le plus grand rot jamais entendu dans cette Impasse.

C'était Seph Moitié qui criait en direction de la maison : « M'man, viens-là, maman, Andrade a avalé la lune ! » et Andrade de nous regarder, en s'essuyant la bouche du revers de la main, l'air hébété.

Il s'ensuivit l'agitation habituelle comme chaque fois qu'il y avait du nouveau. Il y avait un va-et-vient de gens dans la rue parlant tout haut et un tas de monde chez Andrade qui était assis sur une chaise, les jambes écartées, qui demandait beaucoup d'eau, se plaignant d'avoir le ventre un peu lourd.

---

9. **a dobra**, *la pliure* (< dobrar = *plier*). A dobra das calças = *le revers du pantalon*.
10. **escorreito** = apurado, puro.
11. **um tudo nada** = um pouquinho.
12. **pardo**, couleur indéfinie qui va du marron au gris ; suivant le cas on peut traduire par *brun, cuivré* ; os índios eram pardos (cf. voyageurs du XVIe siècle) : *les Indiens étaient cuivrés* ; mais de noite tudos os gatos são pardos : *la nuit, tous les chats sont gris*.
13. **Ina cum caraças**, déformation de ena com caraças, expression très familière = com os diabos.
14. **nha mãe**, voir note 15, p. 55.
15. **co**, déformation populaire de que o.
16. **pessoal** = ici as pessoas. Ce mot désigne l'entourage connu. Il signifie aussi *le personnel*.

— Ele não teve[1] culpa, tadinho[2], que ela é que se lhe veio enfiar pela boca dentro[3], comentava a mulher do Andrade, torcendo a ponta do avental.

— Mas se foi ele que a desafiou, gritava a mãe do Zé dando punhadas[4] de uma mão na palma da outra mão, — Pôr-se ali na janela aos bocejos, olha a farronca ! Agora vem esta a querer baralhar género humano com Manuel Germano[5]. O meu Zé viu tudo, óvistes[6] ?

Não tardou, estava o presidente da Junta[7], muito hirto, no seu casaco de pijama com flores :

— Isto o meu amigo o que fazia[8] melhor era regurgitar a Lua, ou o Beco ainda fica mal visto, observou com gravidade e voz de papo[9].

E o Andrade, moita, ali embasbacado, com os olhos no vago.

Deram-lhe azeite para o homem vomitar, mas nada. Limitou-se a produzir uns sons equívocos e a esboçar um ar de enjoada repugnância.

— O pior é que se ela sai pelo outro lado nos parte a sanita nova — abespinhava-se a filha do Andrade, toda de mão na anca. — Que coisa mais escanifobética...

— É levarem-no já para o hospital, gritava o Zé Metade da rua, ansioso por se ver acompanhado na sua desgraça de vítima do escalpelo cirúrgico.

Mas o presidente da Junta considerou :

— Então e depois a Lua onde é que a punham ? Quem lhes garantia que ela voltava[10] ao sítio ?

---

1. Le portugais, contrairement au français, doit obligatoirement respecter la concordance des temps.
2. Abréviation de **coitadinho**, diminutif de coitado.
3. **enfiar pela boca dentro**. Remarquez l'emploi et la place de l'adverbe de lieu qui indique le sens du mouvement indiqué par le verbe ; ex. : vai rua abaixo = *il descend la rue*. Ici, dentro renforce le sens du verbe enfiar.
4. **punhadas** = o punho *(le poing)* + le suffixe ada (voir note 10, p. 19).
5. **género humano com Manuel Germano**, expression créée par l'auteur ; le nom inventé Manuel Germano sert de rime à humano ; il existe une expression idiomatique semblable : misturar alhos e bugalhos = *mélanger les torchons et les serviettes*. Le français populaire a le même genre de tournures : « à la tienne, Étienne, etc. ».
6. déformation populaire de ouviste.
7. **Junta** = Junta de freguesia ; freguesia est la plus petite

— Ce n'est pas de sa faute, le pauvre, c'est elle qui est venue se fourrer dans sa bouche, faisait remarquer la femme de Andrade, en tortillant la pointe de son tablier.

— Mais c'est bien lui qui l'a provoquée, criait la mère de Seph en frappant de son poing la paume de son autre main. Se mettre là, à la fenêtre, à bâiller, quelle fanfaronnade ! Et voilà celle-là qui veut tout mélanger. Mon Seph a tout vu, tu as entendu ?

Un instant plus tard, le président de l'Assemblée était là, tout raide, dans sa veste de pyjama à fleurs.

— Ça, mon ami, ce que vous auriez de mieux à faire, c'est de régurgiter la lune, ou notre Impasse sera, en plus, mal vue, observa-t-il d'une voix grave venant du fond de la gorge.

Et Andrade de rester bouche cousue, tout abasourdi, les yeux dans le vague.

On lui donna de l'huile d'olive pour le faire vomir, mais sans résultat. Il ne fit qu'émettre quelques sons équivoques et ébaucha une grimace de répugnance écœurée.

— Le pire c'est que si elle sort de l'autre côté elle nous casse notre W.C. tout neuf, disait la fille d'Andrade se fâchant, les poings sur les hanches. Quelle histoire tordue...

— Il faut l'emmener immédiatement à l'hôpital, criait Seph Moitié de la rue, désireux de ne plus se voir seul dans son malheur de victime du scalpel chirurgical.

Mais le président de l'Assemblée fit les remarques suivantes :

— Alors, et après, la lune où est-ce que vous allez la mettre ? Qui va vous garantir qu'elle reviendra à sa place ?

---

division administrative du Portugal ; **junta** est *un petit groupe élu par une assemblée* - a assembleia de freguesia ; les autres divisions administratives par ordre croissant sont : « **o concelho** » et « **o distrito** ».

8. **fazia** est un imparfait à sens conditionnel qui par la concordance des temps entraîne un autre imparfait **era**.

9. **o papo** = *le jabot.*

10. Nous avons une série d'imparfaits de l'indicatif à valeur de conditionnel : « **punham** », « **garantia** », « **voltava** » que nous rendons par des futurs immédiats puisque le français n'est pas aussi strict dans les règles de concordance des temps.

E se os médicos quisessem ficar com ela lá no hospital e a prantassem dentro dum frasco com álcool ? Que é que aquela gente ganhava com isso ? Hã ? E em faltando[1] a Lua, quais eram os inconvenientes ? Hã ?

— Acabam-se as marés, disse o Paulino Marujo.

— Coisa de pouca monta, afirmou uma mulher. As marés nunca deram de comer[2] a ninguém. E quanto à luz, depois da electricidade...

— Então como é que o amigo se sente ? perguntou o presidente ao Andrade.

— Menos mal, muito obrigado. Vai um pedacinho melhor...

— Então é melhor ficarmos[3] assim, recomendou o presidente. Vocemecê[4] agora toma um bicarbonatozinho, um leitinho, e ala[5] para a cama que amanhã é dia de trabalho. E vocês todos, andor[6], para casa, em ordem e não se pensa mais em tal semelhante !

E assim foram fazendo, aos poucos e poucos.

No dia seguinte, a Humanidade toda estranhou muito o desaparecimento da Lua e deu-se[7] a grandes especulações.

Era com algum orgulho que a população do Beco via passar o Andrade. Sempre gaiteiro[8], apenas um pouco mais gordo.

---

1. **Em faltando** : remarquez la valeur particulière de em + gérondif ; ici, a la valeur de se falta.
2. **deram de comer :** remarquez les expressions dar de comer, *donner à manger ;* dar de beber, *donner à boire.*
3. **ficarmos** : infinitif personnel, équivalent de que fiquemos.
4. **vocemecê**, formule de politesse d'un usage encore régional qui marque un certain respect (populaire).
5. **ala**, interjection populaire : *filez !*
6. **andor** = ala.
7. **deu-se a** < dar-se a = *se livrer à.*
8. **gaiteiro** = *enjoué.* Cet adjectif peut avoir une valeur légèrement critique. **Alegre** = *gai, joyeux.*

Et si les médecins voulaient la garder, là-bas, à l'hôpital, et la mettaient dans un flacon avec de l'alcool ? Qu'est-ce qu'ils y gagneraient ? Hein ? Et si la lune venait à manquer, quels seraient les inconvénients ? Hein ?

— Finies les marées, dit Paulin le Marin.

— C'est sans intérêt, assura une femme. Les marées n'ont jamais donné à manger à personne. Et quant à la lumière, après l'électricité...

— Alors mon ami, comment est-ce que vous vous sentez ? demanda le président à Andrade.

— Pas trop mal, merci beaucoup. Cela va un peu mieux...

— Alors il vaut mieux que nous en restions là, recommanda le président. Vous prenez maintenant un peu de bicarbonate, un peu de lait et droit au lit, car demain, c'est un jour de travail. Et vous tous, allez, à la maison, en ordre, et qu'on ne pense plus à cette histoire !

Et c'est ce qu'ils firent les uns après les autres.

Le lendemain, l'humanité tout entière trouva très étrange cette disparition de la lune et se perdit en conjectures.

C'était avec une certaine fierté que la population de l'Impasse regardait passer Andrade. Toujours gai, à peine un peu plus gros.

Révisions

Vous avez rencontré dans le conte que vous venez de lire l'équivalent des expressions françaises suivantes.

Vous en souvenez-vous ?

1. Il se mit à chanter un *fado* très poignant.
2. Elle se fourra tout entière dans la bouche de...
3. Le ciel redevint lisse.
4. L'impasse se fit un tantinet plus sombre.
5. Chaque fois qu'il y avait du nouveau.
6. Mais c'est bien lui qui l'a provoquée.
7. Il faut l'emmener immédiatement à l'hôpital.
8. Qu'est-ce qu'ils y gagneraient ?
9. Et si la lune venait à manquer ?
10. C'est sans intérêt.
11. Elles n'ont jamais donné à manger à personne.
12. Alors il vaut mieux que nous en restions là.

1. E deu-lhe para cantar um fado muito sentido.
2. Foi enfiar-se inteirinha na boca de...
3. O céu tornou-se liso.
4. O Beco ficou um tudo nada mais escuro.
5. Sempre que havia novidade.
6. Mas se foi ele que a desafiou.
7. É levarem-no já para o hospital.
8. Que é que eles ganhavam com isso ?
9. E em faltando a Lua ?
10. Coisa de pouca monta.
11. Elas nunca deram de comer a ninguém.
12. Então é melhor ficarmos assim.

Galeão COUTINHO

O homem que ganhou[1] um leitão[2]

L'homme à qui l'on donna un porcelet

Salisbury Galeão Coutinho est né dans l'État de Minas Gerais en 1895. Il se consacre au journalisme. Il est d'abord rédacteur de *A Gazeta*, puis devient directeur de *O Tempo* à São Paulo. Il publie plusieurs romans : *O Último dos Morungabas*, *Confidências de Dona Marcolina*, etc. Il meurt dans un accident d'avion, alors qu'il atteint la cinquantaine.

— Não, nunca mais farei a ninguém o menor obséquio[3] !

— Mas você é um cristão ; lá[4] dizem os Evangelhos...

— Bolas[5] para os Evangelhos, meu amigo, bolas ! Não farei, de hoje em diante, o menor benefício a patife[6] nenhum ; ah ! não, nunca mais !

E ali no café, depois de absorver vertiginosamente a sua média[7], pão e manteiga, o meu amigo Vasconcelos, com[8] os olhos faiscantes, berrando, bufando, contorcendo-se em esgares[9] terríveis, passou a contar[10] o caso[11] do leitão :

— Imagine você que eu fiz um favorzinho a um pobre diabo que me procurou, muito humilde, com[8] ar de cachorro que quebrou panela[12], com a cara de herege que tem a necessidade. Era um sujeito[13] lá de Jacarepaguá[14], onde tem um sitiozinho[15]. Você sabe, eu gosto de servir. Uma questão de impostos ; o infeliz estava ameaçado de perder a propriedade num executivo fiscal, uma dessas embrulhadas[16] de todos os dias. Tratei tudo com o maior interesse, porque, vamos e venhamos[17], é triste um pai de família — o desgraçado tem uma ninhada de filhos — ir para a estrada, sem eira nem beira[18], por causa do fisco.

---

1. **ganhar algo** = *recevoir qqch. en cadeau* ; a aussi le sens de gagner ; ganhar tempo = *gagner du temps*.
2. **o leitão** = o bácoro ; attention au féminin : leitoa. O leitão assado = *le cochon de lait rôti*. Ce plat est très apprécié au Portugal et au Brésil.
3. **o obséquio** = favor.
4. **lá**. Remarquez la valeur emphatique de cet adverbe.
5. **bolas/cra bolas** (interjection) = *zut, au diable* ; a bola = *le ballon*.
6. **o patife** = o velhaco = *le gredin, le vaurien*.
7. **a média** = *la moyenne* ; au Brésil ce terme désigne *le café au lait servi dans une grande tasse ou dans un verre : le « grand crème »*. Au Portugal on emploierait le mot galão : *le grand crème*, servi uniquement dans un verre.
8. **com os olhos**... Remarquez l'usage de la préposition **com** devant le compl. de manière (état passager).
9. **o esgar** = o trejeito, a careta = *la grimace*.

— Non, je ne ferai plus à quiconque la moindre faveur !

— Mais tu es chrétien : les Évangiles disent bien...

— Au diable les Évangiles, mon ami ! Dorénavant, je ne rendrai pas le moindre service à quelque individu que ce soit. Ah ! non alors, plus jamais !

Et là, au bar, après avoir absorbé vertigineusement son café au lait et sa tartine, mon ami Vasconcelos, les yeux lançant des éclairs, hurlant de rage, faisant d'effrayantes grimaces, se mit à raconter l'histoire du porcelet :

— Figure-toi que j'ai rendu un petit service à un pauvre diable qui est venu me trouver très humblement avec un air de chien battu, une tête d'hérétique que donne le besoin. C'était un individu de Jacarepaguá, où il a une petite propriété. Tu sais, j'aime rendre service. Un problème d'impôts ; le malheureux était menacé de perdre son bien lors d'une saisie, un de ces imbroglios quotidiens. Je me suis occupé de tout avec le plus grand intérêt car, convenons-en, il est triste qu'un père de famille — le malheureux a une nichée d'enfants — aille à la rue sans un sou vaillant à cause du fisc.

---

10. **passou a contar**. Remarquez que **passar** + infinitif a le sens de *se mettre à*.

11. **o caso**, a aussi le sens de *cas*.

12. **quebrar panela** = *casser une marmite*.

13. **sujeito** = *individu, type* ou alors *sujet en grammaire* ; dans les autres cas, sujet se traduit par **assunto**.

14. **Jacarepaguá**, banlieue de Rio de Janeiro à l'ouest.

15. **sitiozinho**, diminutif de **sítio** qui, au Brésil, a le sens de *petite propriété, résidence secondaire*.

16. **embrulhadas** < **embrulhar** = *envelopper ;* o embrulho, *le paquet*.

17. **vamos e venhamos**, expression toute faite composée des verbes ir et vir.

18. **sem eira nem beira**, expression toute faite = *sans ressources, dans la misère, n'avoir ni sou ni maille*.

Encontrei a melhor boa vontade por parte do pessoal[1] da Fazenda[2] : fizeram uma quebra[3] no total em atraso e dividiram o resto em prestações suaves. Deram um jeitinho[4], como se diz. O que nos salva, nesta grande terra, é o « dá-se um jeitinho ». Coração[5] de brasileiro, você sabe. Pois olhe, eu daqui por diante vou virar fera[6] : ninguém alcançará de mim isto (e o meu amigo Vasconcelos mostrou-me a ponta da unha do dedo mínimo[7]). Você vai ver se tenho ou não tenho razão. Onde estava mesmo ? Ah ! sim, o homem arranjou tudo quanto quis e desandou a fazer agradecimentos ; não me deixava mais. Sempre que vinha à cidade, ia à repartição[8] procurar-me e se desfazia em palavras e gestos : « Deus que lhe dê muitos anos de vida, Seu[9] Vasconcelos, e a toda a sua família. » Repetiu isso mais de vinte vezes : e, francamente, eu já estava por conta[10] do Bonifácio[11]. O sujeito é chato[12] como o demônio. Um dia, como eu já estava de saída, entendeu de acompanhar-me até à Cinelândia[13], onde eu ia encontrar-me com a Lourdes, você conhece, aquele pedaço[14]. Tínhamos um encontro marcado na Brasileira e, quando lá cheguei, já a pequena estava na mesinha ao fundo. Pois foi um custo para me ver livre do homem, espere... Sim, chama-se Cabuçu[15], o tal sujeito. O Seu Cabuçu ali ficou a fazer mil recomendações, que eu dispusesse dele para o que quisesse : e o que eu queria é que me deixasse em paz. A Lourdes já estava impaciente.

Quando o Seu Cabuçu, enfim, desatracou[16], respirei aliviado. Há gratidões piores do que todas as ingratidões juntas.

---

1. **pessoal** = *les employés* ; a aussi un sens plus large = *les amis, la famille*.
2. **fazenda**, actuellement au Portugal on préfère employer Finanças ; fazenda est aussi *une propriété, une plantation*, et même *un tissu* (tecido), voir note 13, p. 21.
3. **quebra** a aussi le sens de **falência** *(faillite)*.
4. **jeitinho**, diminutif de jeito *(la manière, la façon d'être)* ; ce mot a de nombreux sens lorsqu'il est employé dans certaines expressions : ter jeito para = *être doué pour* ; fazer jeito/dar jeito = *convenir* ; dar um jeito em alguma coisa = *trouver une solution*.
5. **o coração** = *le cœur*.
6. **uma fera** = *un fauve*.
7. **dedo mínimo** = o mindinho, o auricular.

C'est la meilleure bonne volonté du monde que j'ai trouvée chez les gens du ministère des Finances : ils ont fait un abattement sur la somme due et ils ont divisé le reste en petits versements. Ils se sont débrouillés, comme on dit. Ce qui nous sauve, dans ce grand pays, c'est la « débrouille ». Tempérament de Brésilien, tu connais. Eh bien, tu vois, dorénavant, je vais devenir une véritable bête : personne n'obtiendra ça de moi (et mon ami Vasconcelos me montra le bout de l'ongle de son petit doigt). Tu vas voir si j'ai raison, oui ou non. Mais où en étais-je ? Ah oui, l'homme a obtenu tout ce qu'il a voulu et s'est mis à m'accabler de remerciements ; il ne me laissait plus. Chaque fois qu'il venait en ville il passait me voir au bureau et se confondait en paroles et en gestes : « Que Dieu vous prête vie longtemps, M'sieur Vasconcelos, à vous et à toute votre famille. » Il répéta cela plus de vingt fois ; et franchement il commençait à m'agacer au plus haut point. Le type est diablement assommant. Un jour, comme je m'apprêtais à sortir, il se mit dans la tête de m'accompagner jusqu'à la Cinelândia, où j'allais retrouver Lourdes, tu sais, ce sacré brin de fille. On avait rendez-vous à la Brasileira et quand je suis arrivé là-bas, la belle était déjà installée à la petite table au fond. Eh bien, ça a été toute une histoire pour me débarrasser du bonhomme. Attends... Oui... il s'appelle La Guêpe, le type en question. M'sieur La Guêpe reste là à faire mille recommandations, que je dispose de lui pour tout ce qui me fait plaisir : et ce qui m'aurait fait plaisir c'était qu'il me laissât en paix. Lourdes se montrait déjà impatiente.

Quand M'sieur La Guêpe enfin lâcha prise je respirai soulagé. Il y a des gratitudes pires que toutes les ingratitudes réunies.

---

8. **repartição** = escritório ; repartição s'emploie uniquement dans le domaine public (ministères, mairies, etc.).
9. **seu Vasconcelos**, déformation populaire de **senhor**.
10. **estar por conta** = estar furioso, indignado.
11. **Bonifácio**. D'après le philologue Antenor Nascentes, il s'agirait d'un croisement **bonum-fatum** = **bem fadado** = *chanceux*. Ce mot renforce l'expression « **ficar por conta** ».
12. **chato** = *ennuyeux, plat*.
13. **Cinelândia**, quartier de Rio de Janeiro constitué surtout par le début de l'avenue Rio Branco où se trouvent les cinémas, les théâtres, les boîtes, etc.
14. **pedaço** = *morceau*.
15. **o cabuçu** = a vespa = *la guêpe*.
16. **desatracar** = levantar âncora = *lever l'ancre*.

Espera um pouco ; pensa que está tudo liquidado[1] ? Não ;
o meu martírio estava apenas no começo, meu amigo,
espere. Daí a dois dias, quem é que eu encontro na
Avenida[2], a caminho da repartição, à minha procura ? O
homem cabuloso[3] com a família inteira. Tinham vindo,
incorporados, agradecer-me. Veja você que inferno : Seu
Cabuçu, não sei de quê Cabuçu, porque o desgraçado
tem um nome comprido[4], raio que os parta. Cabuçu : Seu
Cabuçu fez questão fechada[5] de apresentar-me à tribo :
« Olhe, Dona Cecília — é desses sujeitos que chamam a
esposa de « dona » — abaixo de Deus, aqui Seu Vasconcelos é a nossa salvação na terra. Venancinho, Tonico,
Robertinho, Zabelinha[6] tomem a benção[7] aqui do nosso
benfeitor, vamos seus diabos, porque se não fosse Seu
Vasconcelos, vocês a estas horas estavam na estrada
pedindo a benção a gato e chamando cachorro[8] de titio[9]. » O homem tinha, às vezes, umas saídas gozadas. É
o que salvava, mas era pau[10], mais do que pau, era floresta, era um Amazonas de chateação. Quis despedi-los
ali mesmo e foi pior. Fizeram questão de acompanhar-me
à repartição, para que vissem — foi o Cabuçu quem
impôs — o lugar onde trabalhava o seu grande benfeitor.
Quando viu aquele farrancho entrando pela sala dentro,
o pessoal da repartição parou de trabalhar, só para
sapear os jecas suburbanos, piores do que os jecas[11]
sertanejos[12]. Dona Rosinha, que você conhece, a datiló-
grafa com quem ando tirando umas casquinhas[13], depois
que o pessoal caiu fora veio muito lambisgóia perguntar :
« Seu Vasconcelos, aquela gente saiu da Arca de Noé ? »

---

1. **liquidar** = *liquider*.
2. **Avenida** = Avenída Rio Branco.
3. **cabuloso** = importuno, que dá azar *(qui porte malheur)*.
o cábula = *le cancre*.
4. **comprido** = *long*.
5. **fechado** = *fermé*.
6. **Venancinho, Tonico, Robertinho, Zabelinha** sont les di-
minutifs de Venâncio, Antônio, Roberto et Isabel.
7. **tomem a benção**. Le mot correct est bênção, mais le
prononciation populaire accentue sur la dernière syllabe ; il
s'agit d'une coutume ancienne où l'on doit demander la bénédiction d'une personne plus âgée avec laquelle il existe des
liens de parenté ; cette coutume subsiste en milieu rural.
8. **gato** et **cachorro** sont ici des collectifs ; remarquez qu'au
Brésil cachorro n'a pas le sens de *chiot* comme au Portugal,

68

Attends un peu ; tu penses que tout est fini ? Pas du tout ; mon martyre ne faisait que commencer, mon vieux, tu vas voir. Deux jours après, qui est-ce que je rencontre sur l'avenue, sur le chemin du bureau, à ma recherche ? Le casse-pieds avec sa famille au complet. Ils étaient venus tous en groupe pour me remercier. Tu vois cet enfer : M'sieur La Guêpe, La Guêpe de je ne sais quoi, car le malheureux a un nom à rallonge, que le diable l'emporte. La Guêpe, M'sieur La Guêpe tint absolument à me présenter à sa tribu : « Voilà *Dona* Cecília — il fait partie de ces individus qui traitent leur femme de *dona* — après Dieu, voici M'sieur Vasconcelos qui est notre salut ici-bas. Venancinho, Tonico, Robertinho, Zabelinha, recevez la bénédiction de notre bienfaiteur, allez espèce de petits diables, parce que, sans M'sieur Vasconcelos, à cette heure, vous seriez sur la route, en train de demander la bénédiction aux chats et vous appelleriez les chiens tontons. L'homme avait parfois des reparties amusantes. C'est ce qui sauvait la situation, mais il était assommant comme la pluie, plus que la pluie, c'était un orage, c'était un déluge d'ennui. Je voulus les congédier à cet endroit même, et ce fut pire. Ils voulurent absolument m'accompagner jusqu'au bureau pour voir — ce fut La Guêpe qui l'imposa — l'endroit où travaillait leur grand bienfaiteur. Lorsqu'ils virent cette troupe qui pénétrait dans la pièce, les employés du bureau s'arrêtèrent de travailler juste pour examiner ces ploucs de banlieue, pires que les ploucs des campagnes les plus reculées. Dona Rosinha que tu connais, la dactylo que j'effeuille de temps à autre, après que ces personnes eurent débarrassé le plancher, vint demander, en faisant sa mijaurée : « M'sieur Vasconcelos, ces gens sont sortis de l'Arche de Noé ? »

---

mais de *chien* (cão) ; *chiot* = cachorrinho.
9. **titio**, diminutif de *tio (oncle)*.
10. **pau** a le sens d'*ennuyeux (chato)* ; c'est aussi *un arbre*, ce qui explique le jeu de mots impossible à rendre mot à mot en français ; donc de **pau** *(arbre)*, on passe à **floresta** *(forêt)*, puis à **Amazonas** *(l'Amazonie)*.
11. **Jeca**. Ce nom est le nom d'un personnage **Jeca Tatu** créé par Monteiro Lobato (écrivain brésilien - 1882-1948) ; **o jeca** = **o caipira** *(plouc)*.
12. **sertanejo** = **do Sertão** (l'intérieur du pays ; dans le Nordeste du Brésil il s'agit du polygone de la soif).
13. **casquinha**, diminutif de **casca** *(l'écorce de l'arbre, la coquille d'œuf, la peau d'un fruit*, etc.)

Palavra que eu sorri amarelo, mas uma vontade louca de mandar Dona Rosinha p'ras profundas[1] do inferno. Era demais. Vá fazer troça[2] da avó[3]...

— Mas, Vasconcelos, Dona Rosinha é um número...

— Que seja ! Espere, não me interrompa : agora é que você vai ver a melhor. A três por dois, Seu Cabuçu aparecia na repartição, para mostrar que é[4] um homem que sabe ser grato. Até que se deu a melódia[5]. Véspera de Natal, apareceu pra dizer que ia me levar um leitão de presente. Fiz mil protestos : que não fizera o benefício contando com a paga, que quem dá aos pobres empresta a Deus, que estivesse sossegado, e mais isto e mais aquilo ; e nada. O homem queria porque queria[6] que eu aceitasse um presentinho de pobre. Acabei dando-lhe o meu endereço. Pois três dias antes do Natal, chego à casa derreado, uma dorzinha aguda nas costas, resfriado[7] que apanhei ali na esquina da Cinelândia e bumba minha mulher já estava às voltas com o leitão, mas um leitão vivo, veja você, um leitão vivo meu amigo ! Sabe o que é um leitão vivo num apartamento ? A princípio, foi um alegrão[8]. As crianças ficaram quase malucas. Nunca tinham visto um leitão vivo ; brincavam com ele, coçavam-lhe a barriguinha e o bicho rosnava, mal-humorado. Mas, à hora de dormir, é que foram elas[9]. Onde meter o leitão ? Na cozinha, impossível ; no banheiro[10], muito menos. Fome, ou o que quer que fosse, o desgraçado desanda a gritar[11]. Dei-lhe um pedaço de pão : refugou[12] ; atirei-lhe um pedaço de presunto[13] : refugou, também, porque eu acho que só o homem devora o seu semelhante, quando está com fome, e às vezes mesmo sem fome, só por gulodice.

---

1. **p'ras profundas**, forme populaire : **para as profundezas**.
2. **a troça** = *la moquerie*.
3. **a avó** = *la grand-mère* (**o avô** = *le grand-père*).
4. Ici le français respecte la concordance des temps.
5. **melódia**, graphie populaire de **melodia** qui ne s'emploie ainsi que dans l'expression **dar-se a melódia**.
6. **queria porque queria**. Remarquez la répétition du verbe qui sert à marquer l'intensité.
7. **resfriar-se** = *se refroidir* ; **a gripe** = *la grippe*.
8. **alegrão**, augmentatif de **alegre**.
9. **é que foram elas**, expression idiomatique.
10. **o banheiro** = *salle de bains et toilettes* ; au Portugal on

Ma parole, j'ai ri jaune, mais j'avais une envie folle d'envoyer Dona Rosinha à tous les diables. C'en était trop. Qu'elle aille se faire voir chez le pape...

— Mais, Vasconcelos, Dona Rosinha est un vrai numéro...

— Et après ! Attends, ne m'interromps pas ; c'est maintenant que tu vas connaître le summum. Tous les quatre matins M'sieur La Guêpe se présentait au bureau pour montrer qu'il était un homme qui savait être reconnaissant. Jusqu'au moment où on eut droit au final. La veille de Noël il se présenta pour me dire qu'il allait m'apporter un porcelet en cadeau. Je protestai avec véhémence : je n'avais pas rendu le service en pensant à une rétribution — qui donne aux pauvres prête à Dieu — il pouvait dormir tranquille et patati et patata ; rien n'y fit. Le bonhomme voulait à tout prix que j'accepte le petit cadeau d'un pauvre. Je finis par lui donner mon adresse. Eh bien, trois jours avant Noël, j'arrive à la maison éreinté, une douleur lancinante dans le dos, j'ai pris froid là au coin de la Cinelândia, et patatras ma femme était déjà aux prises avec le porcelet, un porcelet vivant, tu te rends compte, un porcelet vivant, mon vieux ! Tu sais ce que c'est un porcelet vivant dans un appartement ? Au début ça a été du délire. Les enfants en sont presque devenus fous de joie. Ils n'avaient jamais vu un porcelet vivant ; ils s'amusaient avec lui, lui grattaient le ventre, et l'animal grognait de mauvaise humeur. Mais au moment d'aller se coucher les choses se gâtèrent. Où mettre le porcelet ? Dans la cuisine, impossible ; dans la salle de bains, encore moins. La faim ou quoi que ce soit d'autre, et le malheureux de se mettre à crier. Je lui donnai un morceau de pain : il le rejeta ; je lui jetai un morceau de jambon : il le rejeta aussi parce que je crois que seul l'homme dévore son semblable, quand il a faim, et parfois même quand il n'a pas faim, seulement par gourmandise.

---

emploie plutôt **casa de banho** ; **o banheiro** au Portugal étant *le maître-nageur*.

11. **desandar a gritar** = pôr-se a gritar.
12. **presunto**, au Portugal on fait une différence entre le *jambon cru* (presunto) et le *jambon de Paris* (fiambre).
13. **refugar** = recusar, rejeitar, desprezar.

Leitão não come porco. O caso é que naquela noite, em minha casa, não houve mais sossego. O vizinho da esquerda reclamou contra o barulho, pois não podia dormir com aquela gritaria[1]. Que eu desse um jeito, senão ia queixar-se ao zelador[2]. O tal vizinho, sujeito mal-encarado com quem embirro solenemente, parece que só esperava aquele pretexto para mostrar que também não simpatiza comigo. Disse ao homem que estivesse tranqüilo, que eu ia dar[3] um sumiço[4] no leitão. De fato, estava resolvido a matar o leitão, eu que nunca matei, nem sei como é que se mata uma galinha. Penso que está tudo liquidado, e aparece o vizinho da direita, um sujeito magro, de olhos tristes. Foi mais delicado. Disse-me que a esposa estava adoentada e aquele barulho... Expliquei que o barulho ia acabar, pois eu já estava afiando a faca pra dar cabo[5] do maldito leitão. Como ? Matar o leitão ! O homem, no mesmo timbre de voz, com a calma que têm certos sujeitos magros, explicou-me que não fizesse tal : então eu não sabia que é proibido matar leitão nos domicílios ? Disse mais : que eu teria de levar[6] o leitão no dia seguinte ao matadouro apropriado, se não quisesse ter complicações com os fiscais. Você está vendo ?

Aqui, o meu amigo Vasconcelos começou a chupar[7] um charuto muito ordinário[8], que não havia meio de fumegar. Fósforo e mais fósforo, e nada. Jogou[9] fora o charuto e continuou :

— Você está vendo ? Pois não é tudo, meu amigo ; espere um pouco. Meti o leitão na sala de frente, certo de que os seus guinchos[10] não chegariam ao corredor, para perturbar o sono dos vizinhos. Foi pior.

---

1. **a gritaria** = os gritos.
2. **o zelador** (Brésil seulement) = **o porteiro**. *La loge* = **a portaria**.
3. **que ia dar**. Remarquez l'emploi de l'indicatif imparfait **ia** dans la proposition causale (que ia dar = porque ia dar) ; par contre on emploie le subjonctif imparfait (concordance des temps : disse ... estivesse) qui souligne l'aspect hypothétique du résultat de la recommandation. C'est le verbe *pouvoir* qui donne cette nuance en français.
4. **sumiço** = **dar um sumiço** = fazer desaparecer ; sumir = desaparecer.
5. **dar cabo** = acabar com, *en finir avec*. Attention aux différents sens de **cabo** : um cabo = *un cap* (géographie), *un manche (à balai), un caporal*.

Le porcelet ne mange pas de porc. Le fait est que cette nuit-là, chez moi, il n'y eut pas de tranquillité. Le voisin de gauche protesta contre le bruit, car il ne pouvait pas dormir avec tous ces cris. Que je trouve une solution sinon il allait se plaindre au concierge. Le voisin en question, un individu renfrogné, pour qui j'ai la plus profonde aversion, n'attendait que ce prétexte, semble-t-il, pour montrer qu'il ne sympathisait pas non plus avec moi... Je dis à l'homme qu'il pouvait être tranquille, que j'allais faire disparaître le porcelet. En effet, j'étais décidé à tuer le porcelet, moi qui n'ai jamais tué et qui ne sais même pas comment on tue une poule. Je pense que tout est fini et c'est le voisin de droite qui se présente, un individu maigre au regard triste. Il fut plus délicat, il me dit que sa femme était légèrement malade et ce bruit... Je lui expliquai que le bruit allait cesser car j'étais déjà en train d'aiguiser le couteau pour venir à bout de ce maudit porcelet. Comment ? Tuer le porcelet ! L'homme, avec le même timbre de voix et le calme propre à certains individus maigres, m'expliqua que je ne devais rien faire de tel : alors, je ne savais pas qu'il est interdit de tuer des porcelets à la maison ? Il ajouta que je devrais emmener le porcelet le lendemain à l'abattoir approprié si je ne voulais pas avoir des complications avec l'inspection vétérinaire. Tu vois ?

A ce moment-là, mon ami Vasconcelos commença à tirer sur un cigare de très mauvaise qualité, qui ne parvenait pas à prendre. Des allumettes les unes après les autres et rien. Il·jeta le cigare et reprit :

— Tu vois ? Eh bien, ce n'est pas tout, mon vieux : attends un peu. Je mis le porcelet dans la pièce donnant sur la rue, sûr que s'il couinait, le bruit n'arriverait pas jusqu'au couloir pour troubler le sommeil des voisins. Ce fut pire.

---

6. **levar.** Voir note 4, p. 12.
7. **chupar** = *sucer.* A chupeta = *la sucette.*
8. **ordinário** = *de má qualidade (vulgaire, grossier)* ; attention **vulgar** = *ordinaire, commun.*
9. **jogou fora** = **deitou fora** (plus fréquent au Portugal) = *jeter.* Jogar a aussi le sens de *lancer* (**atirar**) et de *jouer* (jeu avec des règles) : jogar xadrez = *jouer aux échecs. Jouer* (sens général) = **brincar** ; as crianças brincam = *les enfants jouent.* O jogo = *le jeu ;* o brinquedo = *le jouet.*
10. **os seus guinchos** = mot à mot *ses cris aigus.* O guincho a aussi le sens de *voiture dépanneuse* (Brésil).

Não me ocorreu que os apartamentos têm quartos de frente. Daí a pouco, os vizinhos, tanto o da esquerda como o da direita, foram queixar-se ao zelador, um português cheio de fumaça[1], que comanda o prédio de apartamentos com a ferocidade de um general alemão. O homem, arrancado naquela hora ao seu melhor sono (devo dizer que já eram duas horas, depois da meia noite, calcule !), roncou forte : « Olhe, Seu Basconcelos[2], francamente ! Está um homem[3] a descansar do trabalho, e bêm[2] os bizinhos[2] queixar-se de que o senhor... Ora, francamente, Seu Basconcelos ! Beja[2] se acava[4] com esse raio desse vacorinho[4], bamos[2], Seu Basconcelos ! » Afetei a maior humildade que me foi possível. Estava decidido a liquidar com o leitão, acontecesse o que acontecesse[5], pagaria a multa, pouco importava. E é quando me sucede o pior. Minha mulher, como você sabe, deu pra[6] freqüentar as sociedades protetoras dos animais ; vive abaixo e acima, cheia de idéias malucas. Acha que não devemos bater nos pobres bichos, que os animais são nossos semelhantes — semelhantes, vírgula[7] ! — que isto e mais aquilo. Quando me dispus a dar cabo do leitão, ela saltou da cama. Que dentro daquela casa, ninguém faria mal ao animalzinho ; e agarrando-se[8] ao leitão, esbravejou : « Olhe, Vasconcelos, você pra matar este pobrezinho, terá de passar por cima do meu cadáver ! » Está vendo ?

— Mas, afinal de contas, você é ou não é rei na sua casa ?

---

1. **cheio de fumaça** = *fanfaron* ; a fumaça = *la fumée* (Brésil), *une grande fumée* (Portugal) ; o fumo = *la fumée* (Portugal) et *le tabac* (Brésil).
2. **Basconcelos**, prononciation de Vasconcelos du **Minho** (province du Nord du Portugal, proche de la Galice), où les **b** et les **v** sont confondus.
3. **Está um homem a descansar** = m. à m. *un homme est en train de se reposer.* Remarquez la valeur impersonnelle de l'expression.
4. **acava**, pour acaba, **vacorinho** pour **bacorinho**, voir note précédente.
5. **acontecesse o que acontecesse**, dans un contexte au présent on aurait : **aconteça o que acontecer.** Remarquez que dans ce cas on emploie le subjonctif présent et le subjonctif futur. Ex. : diga o que disser = *quoi qu'il dise.* Faça o que fizer = *quoi qu'il fasse.* Seja o que for = *quoi qu'il en soit.*

Il ne me vint pas à l'idée que les appartements ont des chambres donnant sur la rue. Peu après, les voisins, celui de gauche comme celui de droite, allèrent se plaindre au concierge, un Portugais tout feu tout flamme qui commande l'immeuble avec la férocité d'un général allemand. L'homme, arraché à cette heure-là à son meilleur sommeil (je dois dire qu'il était déjà deux heures après minuit, tu te rends compte !), rouspéta avec force : « Voyons, M'sieur Basconcelos, franchement ! On est en train de se reposer de son travail, et les boisins biennent se plaindre que bous... Alors, franchement, M'sieur Basconcelos ! Finissez-en avec ce diable de cochon de lait. » J'affectai la plus grande humilité qui me fut possible. J'étais décidé à en finir avec le porcelet ; quoi qu'il arrive, je paierai l'amende, cela n'avait pas d'importance. Et c'est alors que m'arriva le pire. Ma femme, comme tu le sais, s'est mise à fréquenter les sociétés protectrices des animaux ; elle passe son temps d'un côté, de l'autre, pleine d'idées loufoques. Elle pense que nous ne devons pas frapper les pauvres bêtes, car les animaux sont nos semblables — semblables, mon œil — et patati et patata. Alors que je me préparais à venir à bout du porcelet elle se leva d'un bond. Dans cette maison personne ne ferait du mal à cette petite bête ; et prenant le porcelet à bras-le-corps elle s'emporta : « Écoute, Vasconcelos, si tu veux tuer ce pauvre petit, il faudra que tu passes sur mon cadavre ! » Tu vois ?

— Mais en fin de compte tu es le maître chez toi, oui ou non ?

---

6. **dar para** = deu para. **Dar para** + infinitif = pôr-se a ; mais dar para + nom = *donner sur* ; a janela dá para o rio = *la fenêtre donne sur le fleuve*.

7. **vírgula** = expression idiomatique mais a **vírgula** = *la virgule*.

8. **agarrando-se a** < **agarrar-se** = *s'accrocher à, s'agripper à*. As garras = *les serres, les griffes*.

— Nada de filosofias, meu amigo ; vamos à realidade. Eu não ia armar um sarilho[1] com minha mulher por causa do leitão. Sentei-me, resignado. Fosse o que Deus quisesse. E a coisa rebentou.

— Que foi que aconteceu ?

— Os vizinhos desandaram a gritar que aquilo não podia continuar. Daí a pouco, era o andar inteiro que protestava. Apareciam caras estremunhadas, velhos, rapazes, crianças, moças, tudo[2] a berrar. O zelador mandou chamar a polícia. Veio o carro de presos e fui metido lá dentro, com leitão e tudo, apesar de protestar que não era nenhum joão-ninguém[3], pois sou funcionário público[4] há mais de quinze anos, tendo amizades boas, fiz a revolução de 30[5]. Mas, qual ! A polícia não quis saber de histórias. « O senhor explica[6] isso amanhã »... Na Delegacia[7], esperei, até amanhecer. Minha mulher e meus filhos fizeram questão de ir[8] até lá e ficaram a meu lado. Podiam imaginar tudo, menos aquilo.

— E o leitão ?

— O leitão, sei lá[9] do leitão ! Sei que no dia seguinte fui muito bem tratado, porque o delegado era camarada[10]. Mandou-me em paz. Riu quando lhe contei a história do Seu Cabuçu, e deu tudo por[11] liquidado. Aqui tem você o que é a gente fazer bem aos outros. Agora é que eu vejo como um meu amigo tinha razão quando dizia : « Eu prefiro os ingratos, Seu Vasconcelos, porque os ingratos não voltam... »

---

1. **um sarilho**, ici = uma confusão (populaire).
2. **tudo** = todos ; l'auteur préfère l'adverbe à l'adjectif par effet de style ; les personnages deviennent ainsi des choses.
3. **joão-ninguém** m. à m. *jean-personne*, donc *jean-foutre*.
4. **funcionário público** = *fonctionnaire* ; o funcionário = *l'employé*.
5. **a revolução de 30** (1930). Cette date marque la fin de la République Velha au Brésil qui avait commencé en 1889.
6. **O senhor explica isso amanhã**. Remarquez le présent de l'indicatif à sens futur.
7. **a delegacia** = *le commissariat* ; o delegado = *le commissaire* ; au Portugal : a esquadra *(le commissariat)*, o comissário = *le commissaire*.
8. **ir** : nous traduisons par *venir* puisque le narrateur se place mentalement à l'intérieur du commissariat.
9. **sei lá**, tournure idiomatique familière et expéditive qui correspond à *não sei*.

76

— Pas de philosophie, mon vieux ; regardons la réalité. Je n'allais pas me bagarrer avec ma femme à cause du porcelet. Je m'assis, résigné. Que la volonté de Dieu soit faite. Et l'affaire éclata.

— Qu'est-ce qui est arrivé ?

— Les voisins se mirent à crier que cela ne pouvait pas continuer. Peu après c'était l'étage tout entier qui protestait. C'étaient des visages mal réveillés, des vieux, des jeunes gens, des enfants, des jeunes filles, qui apparaissaient et tous de crier. Le concierge fit appeler la police. Le fourgon cellulaire arriva et on me poussa à l'intérieur avec porcelet et bagages, malgré mes protestations : je ne suis pas n'importe qui ; en effet, je suis fonctionnaire depuis plus de quinze ans, j'ai des amitiés bien placées, j'ai fait la révolution de 30. Mais à quoi bon ! La police ne voulut rien entendre. « Vous expliquerez tout ça demain... » Au commissariat j'ai attendu jusqu'au petit matin. Ma femme et mes enfants se firent un devoir de venir et restèrent à mes côtés. Ils pouvaient tout imaginer sauf cela.

— Et le porcelet ?

— Le porcelet, est-ce que je sais ce qu'il est devenu ? Je sais seulement que le lendemain je fus très bien traité, car le commissaire était sympathique. Il me renvoya complètement absous. Il rit beaucoup lorsque je lui racontai l'histoire de M'sieur La Guêpe et considéra que l'affaire était close. Tu vois ce que c'est de faire du bien aux autres. C'est maintenant que je comprends combien l'un de mes amis avait raison lorsqu'il disait : « Je préfère les ingrats, M'sieur Vasconcelos, parce que les ingrats ne reviennent pas... »

---

10. **camarada** = *camarade, collègue* ; employé comme adjectif = **simpático**.
11. **dar por** + adjectif ou participe passé = **considerar**.
Dèu-se por satisfeito = *il se tint pour satisfait*.

Révisions

Vous avez rencontré dans le conte que vous venez de lire l'équivalent des expressions françaises suivantes.

Vous en souvenez-vous ?

1. Ils disent bien...
2. Dorénavant.
3. Figure-toi que...
4. Sans un sou vaillant.
5. Ils se débrouillèrent.
6. Chaque fois qu'il venait en ville...
7. Le type est diablement assommant.
8. Un jour, comme j'étais déjà sur le point de sortir.
9. On avait rendez-vous.
10. Ça a été toute une histoire pour me débarrasser du bonhomme.
11. Ils voulurent absolument m'accompagner.
12. Le bonhomme voulait à tout prix...
13. Je finis par lui donner...
14. Elle était déjà aux prises avec le porcelet.
15. Les choses se gâtèrent au moment d'aller se coucher.
16. Tu es maître chez toi, oui ou non ?
17. La police ne voulut rien entendre.

1. Lá dizem...
2. De hoje em diante...
3. Imagine você que...
4. Sem eira nem beira.
5. Deram um jeitinho.
6. Sempre que ele vinha à cidade...
7. O sujeito é chato como o demônio.
8. Um dia, como eu já estava de saída...
9. Tínhamos um encontro marcado.
10. Foi um custo para me ver livre do homem.
11. Fizeram questão de acompanhar-me.
12. O homem queria porque queria.
13. Acabei dando-lhe...
14. Ela já estava às voltas com o leitão.
15. À hora de dormir é que foram elas.
16. Você é ou não é rei na sua casa ?
17. A polícia não quis saber de histórias.

Herberto HELDER

Cães, marinheiros

Chiens et marins

Herberto Helder est né en 1930 dans l'île de Madère. Dès 1958, il est connu par ses poèmes *O Amor em Visita*, suivis bientôt de *A Colher na Boca* (1961), *Electronicolírica* (1964), *Flash* (1980), etc. Si cet auteur est avant tout poète, il n'en publie pas moins quelques contes : *Os Passos em Volta* (5ᵉ éd. 1985), d'où est extrait « Cães, Marinheiros ». L'absurde en est souvent le thème dominant.

Era um cão que tinha um marinheiro. O cão perguntou
à esposa, que se pode[1] fazer de um marinheiro ? Põe-se
de guarda ao jardim[2], respondeu ela. Não se deve deixar
um marinheiro à solta[3] no jardim, que fica perto do mar.
Um marinheiro é uma criatura derivada por sufixação, e
pode recear-se o poder do elemento de base : o radical
mar. Em vez de guardar o jardim, ele acabaria por[4] fugir
para o mar. — Deixá-lo fugir[5], disse a esposa do cão. Mas
ele não estava de acordo. Que um facto[6] deveria ser esse
mesmo facto até ao limite do possível : quem possui um
marinheiro para guardar o jardim deve procurar mantê-lo
a todo o custo, assim como o cão, ou o casal de cães, que
não tiver[7] um marinheiro deve não tê-lo até a isso ser
absolutamente forçado. — Nesse caso, só nos resta ir
para uma terra do interior, longe do mar, disse a cadela.
E então foram para o interior, levando pela trela o
marinheiro açaimado[8]. Durante o percurso viram muitas
paisagens. O marinheiro estava espantado com as paisagens que podem existir longe do mar. Fez diversas
observações a esse respeito, provocando o risonho latido[9] dos cães que, pela sua parte, concordavam[10] em que
tinham um marinheiro muito inteligente.

---

1. **que se pode** ; attention à la traduction du pronom indéfini *on*.
Il existe plusieurs façons de le rendre. L'une des plus cou-
rantes (celle que nous avons ici) consiste à donner au verbe
employé à la 3e personne une forme pronominale. Ex. : **Põe-se
de guarda** : *on lui fait monter la garde*. **Não se deve deixar um
marinheiro** = *on ne doit pas laisser un marin*... Cette tournure
est ressentie comme passive. Le verbe s'accorde en réalité
avec son sujet, généralement placé après lui. Ex. : *on vend des
maisons* (= *des maisons sont vendues*) = **vendem-se casas**.
2. **de guarda ao jardim** : remarquez la préposition **a**. Attention
aux expressions **estar de guarda a**... **ficar de guarda ao jardim**
= m. à m. *garder le jardin*.
3. **à solta** < v. **soltar,** *lâcher, libérer*. Le participe passé est
irrégulier : **solto** *(lâché, libéré)*.
4. **acabaria por**, 3e personne du singulier de **acabar** = *finir*.
Ce verbe peut être employé avec différentes prépositions :
acabar de = *venir de*, **acabar com** = *en finir avec*.

C'était un chien qui avait un marin. Le chien demanda à son épouse : « Que peut-on faire d'un marin ? » « On lui fait monter la garde dans le jardin », répondit-elle. On ne doit pas laisser un marin en liberté dans le jardin, si celui-ci se trouve près de la mer. Un marin est une créature dérivée par suffixation et l'on peut craindre le pouvoir de l'élément de base : le radical mar (mer). Au lieu de garder le jardin, il finirait par s'enfuir vers la mer. « Il faut le laisser s'enfuir », dit l'épouse du chien. Mais lui n'était pas d'accord. Car un fait devrait être le même jusqu'à la limite du possible : qui possède un marin pour garder son jardin doit chercher à le conserver à tout prix, de même le chien ou le ménage de chiens qui n'aurait pas de marin se doit de ne pas en avoir à moins d'y être absolument forcé. « Dans ce cas, il ne nous reste plus qu'à aller nous installer à l'intérieur du pays, loin de la mer », dit la chienne. Et alors ils partirent en tirant par la laisse le marin muselé. Pendant le trajet, ils virent de nombreux paysages. Le marin était profondément étonné par ces paysages qui existent loin de la mer. Il fit plusieurs remarques à ce sujet, provoquant les aboiements amusés des chiens qui, de leur côté, s'accordaient à penser qu'ils avaient un marin très intelligent.

---

5. **deixá-lo fugir** = mot à mot *le laisser s'enfuir*, sous-entendu « il faut » (é deixá-lo).
6. **o facto** = *le fait*, mais **o fato** = *le costume* (Brésil : *le fait*).
7. **tiver**, futur du subjonctif qui insiste sur l'hypothèse. C'est pourquoi, en l'absence de temps équivalent en français nous le traduisons par un conditionnel.
8. **açaimado** de o açaimo = *la muselière*.
9. **o latido** < **v. latir** = *japper* ; ladrar = *aboyer*. Le suffixe **ido** indique le cri correspondant au verbe. O ladrido, *l'aboiement*.
10. **concordavam em que...** Attention aux constructions concordar + em + proposition ou infinitif (**concordo em fazer** = *je suis d'accord pour faire*), mais **concordo + com +** complément (personne, chose) : **concordo com ele** = *je suis d'accord avec lui*.

— Nem todos os cães têm a nossa sorte, disse o cão, pois conheço vários cães que são donos de vários marinheiros estúpidos. Iam por isso bastante contentes e diziam, a outros cães com quem se cruzavam[1], que possuíam um marinheiro invulgarmente[2] esperto. — Ele tem uma filosofia das paisagens, dizia o cão. Um cão da Estrela[3], que encontraram naturalmente perto da Serra da Estrela, perguntou-lhes se o marinheiro gostava de sardinhas. — Adora-as, respondeu a cadela. — Isso não me admira nada, disse o indígena. E na verdade não parecia admirado[4]. Quando chegaram ao mais interior[5] possível, alugaram uma casa com um jardim e puseram o marinheiro a guardá-lo. — Guarda-o, disseram. Deixaram-lhe ao lado uma dúzia de latas[6] de sardinhas e foram para dentro de casa. Durante sete dias e sete noites, o marinheiro reflectiu sobre as paisagens do interior e comeu as sardinhas de conserva. Depois foi atacado de esgana[7], e começou a andar em círculos cada vez mais apertados no meio do jardim. Os cães observavam-no da janela e viam que o seu marinheiro perdia as forças[8] a cada volta. Um dia, ao anoitecer, caiu para o lado resfolgando. — O mar, ouviram-no dizer. Então foram para dentro, e dormiram. De manhã vieram cedo ao jardim e verificaram que o marinheiro estava morto. — Era um marinheiro tão esperto, disse a cadela. — Pois era, disse o cão, foi[9] pena. E enterraram o marinheiro debaixo de uma acácia. Mas como já se haviam habituado[10] à vida do interior, não regressaram ao litoral. Nunca mais tiveram marinheiros. — Para quê ? dizia a cadela, ralações já existem de sobra. E quem se atreve a negar que ela tinha razão ?

---

1. **com quem se cruzavam**. Remarquez la construction : cruzar-se com alguém = *croiser quelqu'un.*
2. **invulgarmente**, < de invulgar ≠ de vulgar *(ordinaire)*, voir note 8, p. 72.
3. race de chien de berger de la **Serra da Estrela** (Montagne de l'Étoile), point culminant du Portugal (environ 2000 mètres).
4. **admirar**, peut aussi avoir le sens de *admirer.*
5. **interior**, opposé à mar, litoral ; il ne peut ici se traduire simplement par « *intérieur* ».
6. **a lata** = *le fer-blanc*, par extension *la boîte de conserve*. O **bairro da lata** (Portugal) *le bidonville* ; a favela (Brésil).
7. **a esgana** est une maladie qui attaque les voies respiratoires des chiens.

« Ce ne sont pas tous les chiens qui ont notre chance », dit le chien, « en effet, je connais plusieurs chiens qui sont les maîtres de plusieurs marins stupides. » Ils étaient pour cette raison assez contents, et ils disaient aux autres chiens qu'ils croisaient qu'ils possédaient un marin extraordinairement vif. « Il a une philosophie des paysages », disait le chien. Un chien de Estrela, qu'ils rencontrèrent bien sûr près de la Serra da Estrela, leur demanda si ce marin aimait les sardines. « Il les adore », répondit la chienne. « Voilà qui ne m'étonne pas du tout », dit l'indigène. A vrai dire il n'avait pas l'air étonné. Quand ils arrivèrent au fin fond du pays, ils louèrent une maison avec jardin et le firent garder par le marin. « Garde-le », dirent-ils. Ils laissèrent près de lui une douzaine de boîtes de sardines et ils entrèrent dans la maison. Pendant sept jours et sept nuits, le marin réfléchit sur les paysages traversés et mangea les sardines en conserve. Ensuite il se mit à suffoquer et commença à tourner en rond en faisant des cercles de plus en plus petits au milieu du jardin. Les chiens l'observaient de la fenêtre et voyaient que leur marin perdait ses forces à chaque tour. Un jour, à la tombée de la nuit, il s'affala sur le côté, haletant. « La mer », l'entendirent-ils murmurer. Alors ils rentrèrent et allèrent se coucher. Tôt le matin, ils se rendirent au jardin et constatèrent que le marin était mort. « C'était un marin si intelligent », dit la chienne. « Eh oui », dit le chien, « c'est dommage. » Et ils enterrèrent le marin sous un acacia. Mais comme ils s'étaient déjà habitués à vivre à l'intérieur du pays, ils ne revinrent pas sur la côte. Jamais plus, ils n'eurent de marins. « A quoi bon ? » disait la chienne, « des ennuis nous en avons déjà de trop. » Et qui peut oser nier qu'elle avait raison ?

---

8. voir note 9, p. 23.
9. **foi pena**, la concordance des temps s'impose en portugais.
10. **se haviam habituado** = que se tinham habituado. L'emploi de **haver** pour former les temps composés du passé est plus littéraire, surtout au Portugal.

Révisions

Vous avez rencontré dans le conte que vous venez de lire l'équivalent des expressions françaises suivantes.

Vous en souvenez-vous ?

1. Il finirait par s'enfuir.
2. Mais lui n'était pas d'accord.
3. Il était profondément étonné par ces paysages.
4. Il fit plusieurs remarques à ce sujet.
5. Tous n'ont pas notre chance.
6. Il leur demanda s'il aimait les sardines.
7. Voilà qui ne m'étonne pas du tout.
8. Ils entrèrent dans la maison.
9. Il était si intelligent ! — Eh, oui !
10. A quoi bon ?

1. Ele acabaria por fugir.
2. Mas ele não estava de acordo.
3. Ele estava espantado com as paisagens.
4. Ele fez diversas observações a esse respeito.
5. Nem todos têm a nossa sorte.
6. Ele perguntou-lhes se ele gostava de sardinhas.
7. Isso não me admira nada.
8. Foram para dentro de casa.
9. Ele era tão esperto ! — Pois era !
10. Para quê ?

Mário Henrique LEIRIA

O menino e o caixote

L'enfant et le cageot

Mário Henrique Leiria (1923-1980), peintre et poète, a fait partie du groupe surréaliste portugais. Il est l'auteur de contes publiés dans *Contos do Gin-Tonic* (1973), d'où est extrait « O Menino e o Caixote », et *Novos Contos do Gin* (1978). Le fantastique en est le fil conducteur.

— Não pode ser, disse o senhor[1] Sousa ao filho, o Ernestinho de oito anos.

— Mas papá, eu vejo[2] nos filmes. Todos têm — afirmou a criança, à procura de uma salvação[3] para aquilo que lhe parecia um desejo certo[4].

— Onde é que já se viu um leão em casa ? Só nessas fitas[5] idiotas. E, além disso, o menino não vê[6] que não há espaço ? Para a semana arranjo-lhe um gato bonito, daqueles que bebem leitinho e fazem miau.

O Ernestinho desistiu de convencer o pai. Para quê[7] ? Era um homem com bigode, sempre a explicar o que não era preciso. Nem sequer percebia de leões. Sentou-se no chão a pensar. Com certeza que devia haver um leão ali em casa ! Não era a vassoura atrás da porta, nem a cadeira larga da mãe dormir[8] aos domingos, nem sequer o embrulho[9] do lixo à espera de ser deitado fora. Foi investigar, toda a gente sabe que os leões estão onde menos se espera. Na cozinha, lá ao fundo, estava o caixote vazio que trouxera as compras da Cooperativa. O Ernestinho pousou-lhe a mão, acariciou-o com ternura e um certo receio. O caixote rugiu e sacudiu a areia amarela e antiga que lhe aquecia a juba[10].

O menino puxou-o[11] ao de leve como quem ensina e acompanha, e o caixote seguiu-o, pisando firme[12].

---

1. **disse o senhor.** Remarquez l'emploi de l'article **o** devant **senhor**. Cet article est omis lorsque senhor est en apostrophe. Já disse que não, **senhor** Sousa = *je vous ai déjà dit non, monsieur Sousa.* Mais : O senhor não quer entrar = *vous ne voulez pas entrer.*
2. **eu vejo**, voir note 14, p. 11.
3. **a salvação** = *l'issue, le salut*; salvar = *sauver.*
4. **certo**, le sens de cet adjectif peut changer, suivant qu'il est placé avant ou après le nom ; um certo desejo = *un certain désir.*
5. **a fita** est aussi *le ruban.*
6. **o menino não vê**. Le père vouvoie l'enfant, ce qui marque une certaine distance (**menino**, équivalent de vous en s'adressant à l'enfant) + verbe 3e personne du singulier.

— Ce n'est pas possible, dit M. Sousa à son fils de huit ans, le petit Ernest.

— Mais, papa, je le vois dans les films. Ils en ont tous, affirma l'enfant, à la recherche d'un argument pour ce qui lui paraissait être un désir légitime.

— Où est-ce que l'on a déjà vu un lion à la maison ? Seulement dans ces films idiots. Et, en plus, tu ne vois pas qu'il n'y a pas de place ? La semaine prochaine je te trouve un joli petit chat, de ces chats qui boivent un peu de lait et qui font miaou.

Le petit Ernest renonça à convaincre son père. A quoi bon ? C'était un homme portant moustache, toujours en train d'expliquer ce qui ne méritait pas de l'être. Il ne s'y connaissait pas du tout en lions. Il s'assit par terre, pensif. C'est sûr, il devait y avoir un lion à la maison ! Ce n'était pas le balai derrière la porte, ni même le fauteuil où dormait sa mère le dimanche, ni même les ordures dans le papier, qui attendaient d'être jetées. Il se mit à faire des recherches, tout le monde sait bien que les lions se trouvent là où on les attend le moins. Dans la cuisine, tout au fond, se trouvait le cageot vide qui avait servi à rapporter les achats de la coopérative. Le petit Ernest y posa la main, le caressa avec tendresse et avec une certaine crainte. Le cageot rugit et secoua le vieux sable jaune qui réchauffait sa crinière.

L'enfant le tira doucement comme celui qui montre et guide, et le cageot le suivit d'un pas ferme.

---

7. **Para quê ?** = *Pour quoi* (dans quel but ?), alors que **por quê ?** = *pourquoi* (à cause de quoi).
8. Remarquez ce raccourci propre au langage parlé (= **onde a mãe dormia**).
9. **embrulho** : voir note 16, p. 65.
10. **lhe aquecia a juba**. Remarquez la façon d'évoquer le possesseur par le pronom personnel indirect **lhe** en l'absence du possessif dont la présence s'impose en français.
11. **puxou**, 3e personne du singulier du prétérit indicatif de **puxar**, voir note 1, p. 24.
12. **pisando firme**, gérondif du verbe **pisar** = *fouler aux pieds*.

O Ernestinho sentou-se no chão da sala. Entre o sofá e a mesinha da televisão o caixote ficava mesmo bem, confortável, como na caverna onde nascera e dera o primeiro rugido[1].

— Agora vamos caçar, Baluba, explicou o Ernestinho ao caixote.

— Que faz o menino[2] aí com esse caixote ? perguntou severamente o senhor Sousa, abrindo a porta, de sobrolho franzido.

O menino olhou para[3] o pai, assustado, e depois para o seu amigo Baluba.

— Mata o velho, Baluba ! gritou, num desespero.

O leão saltou veloz e, com uma única dentada[4] eficaz, arrancou a cabeça do senhor Sousa.

---

1. **rugido** < v. **rugir** = *rugir,* voir note 9, p. 80.
2. **que faz o menino**, voir note 6, p. 86.
3. **olhou para o pai**, le verbe olhar peut aussi se construire de façon transitive : olhou o pai ; « *le vieux* » en français est beaucoup plus péjoratif que ne l'est « o velho » en portugais ; nous l'avons atténué par l'emploi de *grincheux*.
4. **a dentada**, voir note 10, p. 19.

Le petit Ernest s'assit par terre dans le salon. Entre le canapé et la petite table de la télévision, le cageot allait à merveille, confortablement installé, comme dans la caverne où il était né et où il avait poussé son premier rugissement.

— Maintenant nous allons chasser, Balouba, expliqua le petit Ernest au cageot.

— Qu'est-ce que tu fais là avec ce cageot ? demanda avec sévérité M. Sousa, en ouvrant la porte, le sourcil froncé.

L'enfant regarda son père, effrayé, puis son ami Balouba.

— Tue ce vieux grincheux, Balouba, cria-t-il dans un moment de désespoir.

Le lion sauta, rapide, et d'un seul coup de dent, efficace, il arracha la tête de M. Sousa.

Révisions

Vous avez rencontré dans le conte que vous venez de lire l'équivalent des expressions françaises.

Vous en souvenez-vous ?

1. Ce n'est pas possible.
2. La semaine prochaine, je te trouve...
3. Il renonça à convaincre son père.
4. Il n'y connaissait absolument rien...
5. Il s'assit par terre, pensif.
6. Il allait à merveille.
7. Le sourcil froncé.
8. Il regarda son père.

1. Não pode ser.
2. Para a semana, arranjo-te...
3. Ele desistiu de convencer o pai.
4. Nem sequer percebia de...
5. Sentou-se no chão a pensar.
6. Ficava mesmo bem.
7. De sobrolho franzido.
8. Ele olhou para o pai.

Rubem Mauro MACHADO

Conversa de viagem

Propos de voyage

Rubem Mauro Machado est né en 1941 dans l'État de Alagoas. Il passe cependant son enfance et sa jeunesse dans l'État de Rio Grande do Sul. Devenu journaliste, il s'installe à Rio. Il est l'auteur de plusieurs recueils de contes : *Contos do Mundo Proletário* (1967), *Jacarés ao Sol* (1978), etc. « Conversa de Viagem », que nous présentons ici, est extrait de *Jantar Envenenado* (1979).

— Até Washington, quantas milhas ?
— Pouco mais de 200. Vai para lá ?
— Vou[1].
— Então devia[2] ter pegado o ônibus[3] direto.
— Vou descer em Philadelphia.
— Ah !
Me[4] olha por detrás dos óculos, franzindo um pouco o nariz. De onde[5] sou ?
— From Brazil.
— Brazil ? América do Sul ? Muito interessante.
— É. Muito. Realmente.
— Bom café.
— Sim, excelente café.
— Muito índio[6] no Brazil ?
— Um bocado. Mas já conseguimos matar quase todos eles.
A velhinha faz um ar de compreensão[7].
— E as cobras ?
— Já estamos acostumados com elas. Passeiam[8] por toda a parte. No momento mesmo em que[9] o avião em que viajei levantava vôo[10], uma, de mais de 30 metros, tomava sol na pista. O piloto passou por cima, cortou ela[11] em duas. O avião estremeceu[12].

---

1. **vou**. Remarquez qu'en portugais on répond en reprenant le verbe exprimé dans la question.
2. **devia**. Remarquez l'imparfait à sens conditionnel.
3. **o ônibus** : au Brésil ce terme s'emploie également pour désigner les transports urbains (se traduit alors par **autobus**). Au Portugal on préfère dans ce cas le mot **autocarro** *(autobus)* , et pour le transport de ville à ville, **a camioneta** *(le car)* ou **a carreira**.
4. **me olha**. Remarquez la place typiquement brésilienne du pronom atone ; au Portugal on dirait **olha-me**.
5. **de onde** : on pourrait écrire aussi **donde**.
6. **muito índio : muito** a une valeur de collectif. Remarquez que la règle d'emploi des majuscules n'est pas la même qu'en français : **um índio** = *un Indien* ; **um brasileiro** = *un Brésilien*.
7. **faz um ar de compreensão** = m. à m. *elle fait un air de compréhension.*

— Jusqu'à Washington, combien de miles ?
— Un peu plus de 200. Vous y allez ?
— Oui.
— Alors vous auriez dû prendre le car direct.
— Je vais descendre à Philadelphie.
— Ah !

Elle me regarde de derrière ses lunettes, en tordant un peu le nez. D'où est-ce que je viens ?

— From Brazil.
— Brazil ? Amérique du Sud ? Très intéressant.
— C'est vrai. Très intéressant. Réellement.
— Bon café.
— Oui, un excellent café.
— Beaucoup d'Indiens au Brazil ?
— Un peu. Mais nous avons déjà réussi à les tuer presque tous.

La vieille dame prend un air entendu.

— Et les serpents ?
— Nous y sommes déjà habitués. Ils se promènent partout. Au moment même où l'avion dans lequel j'ai voyagé décollait, un serpent de plus de 30 mètres prenait son bain de soleil sur la piste. Le pilote est passé par-dessus, l'a coupé en deux. L'avion en a vibré.

---

8. **passeiam** < v. **passear.** Attention aux irrégularités des verbes en EAR.

9. **No momento em que** : après une expression de temps *où* se traduit par em que : *le jour où*... no dia em que. Onde traduit *où* lorsqu'il indique le lieu.

10. **levantava vôo** (levantar vôo = *prendre son vol*) ; au Portugal on écrit **voo**.

11. **cortou ela**, emploi brésilien (parlé) de **ela** (pronom personnel sujet) pour **a** (pronom personnel complément).

12. **estremecer** = *tressaillir*.

93

— Que perigo, meu Deus. Você disse que ela tinha 30 metros ?

— Mais ou menos. Bem, talvez tivesse[1] menos. Em todo caso[2], aquela é a maior cobra que nós temos[3].

— E você já foi atacado alguma vez por alguma cobra ?

— Só uma vez, quando era pequeno. Nós morávamos numa fazenda e eu estava brincando no pátio. A cobra se enrolou em mim e começou a me apertar, assim como talvez a senhora já tenha visto em algum filme de Tarzan. Firmei[4] o corpo e lutei com todas as minhas forças, segurando a cabeça da cobra. Eu ouvia meus ossos estalarem[5], os pulmões doíam, sufocava. Meu pai veio correndo e decepou a cabeça dela com um golpe do seu facão[6] afiado. Até hoje nós temos o couro[7] desta serpente pendurado na sala, como recordação.

— Que coisa horrível.

A velha empalidece. Resolvo encerrar o papo[8] e olhar a paisagem, prados muito verdes salpicados de pequenas árvores de penugem vermelha, amarela e dourada. Mas ela gosta de conversar e daí a pouco puxa assunto[9].

— Você faz o que no Brazil ?

— Eu ? Eu negocio[10] com madeiras.

— Ah, deve ser muito interessante.

— Sem dúvida.

— Eu imagino que vocês devem ter todo tipo[11] de madeira na selva.

— Realmente temos. Por exemplo, o pau-ferro (« iron tree »). É a madeira mais dura que existe[12] no mundo. É impossível cravar um prego nela. O prego entorta mas não entra.

---

1. **talvez tivesse**. Rappel : **talvez** est toujours suivi d'un verbe au subjonctif. Nous avons ici l'imparfait à cause de la concordance des temps.

2. **em todo caso** : au Portugal on aurait em todo o caso.

3. **a maior cobra que nos temos** : le verbe qui se trouve dans la proposition qui complète un superlatif (ici a maior) est toujours à l'indicatif en portugais.

4. **firmei**, verbe firmar a aussi le sens de *signer*; a firma = *la signature*; au Portugal on emploie plutôt assinar/assinatura.

5. **eu ouvia meus ossos estalarem**. Remarquez l'emploi de l'infinitif personnel.

6. **facão**, augmentatif de a faca = *le couteau*.

7. **o couro** = *le cuir*; a pele = *la peau*; um casaco de peles = *un manteau de fourrure*.

94

— Quel danger, mon Dieu. Vous avez dit qu'il avait 30 mètres ?

— A peu près. Bon, peut-être en avait-il moins. En tout cas, c'est le plus grand serpent que nous ayons.

— Et vous avez déjà été attaqué quelquefois par un serpent ?

— Une fois seulement, lorsque j'étais petit. On vivait dans une propriété et j'étais en train de m'amuser dans la cour. Le serpent s'est enroulé autour de moi et a commencé à me serrer tout comme vous l'avez peut-être déjà vu dans des films de Tarzan. Je m'arc-boutai et luttai de toutes mes forces en tenant la tête du serpent. J'entendais mes os qui craquaient, mes poumons me faisaient mal, je suffoquais. Mon père arriva en courant et lui trancha la tête d'un coup de son grand couteau bien aiguisé. Encore aujourd'hui nous avons la peau de ce serpent suspendue dans le salon comme souvenir.

— Quelle chose horrible !

La vieille dame pâlit. Je décide d'en finir avec ce bavardage et de regarder le paysage, des prés tout verts éclaboussés de petits arbres au duvet rouge, jaune et doré. Mais elle aime parler et peu après trouve un sujet de conversation.

— Qu'est-ce que vous faites au Brazil ?

— Moi ? Je fais du commerce de bois.

— Ah, ça doit être très intéressant.

— C'est sûr.

— J'imagine que vous devez avoir toutes sortes de bois dans la forêt vierge.

— Oui, en effet. Par exemple, le bois de fer (« iron tree »). C'est le bois le plus dur qui existe au monde. Il est impossible d'y planter un clou. Le clou se tord mais ne pénètre pas.

---

8. **encerrar o papo** ; **encerrar,** *enfermer, fermer, terminer ;* o **papo** = *le jabot* ; ce mot prend aussi le sens de *conversation, bavardage* ; **bater papo** ou **bater um papo** = *bavarder, tailler une bavette.* **Um papo furado** = *des paroles en l'air, une histoire à dormir debout.*

9. **puxa assunto**, emploi particulier du verbe **puxar** = *tirer* ; **puxar conversa** = *entamer une conversation.*

10. **negocio** < v. negociar. Ne pas confondre avec o **negócio** = *les affaires, le négoce.*

11. **todo tipo** : voir note 2, p. 94.

12. **é a madeira mais dura que existe** : voir note 3, ci-dessus.

— Nem[1] um prego grande, de aço ?

— Nenhum. A madeira é como pedra ou um pedaço de ferro, o próprio nome indica. O grande problema é serrar essa árvore. Não há serra que resista.

— E para que serve[2] tal madeira ?

— O governo brasileiro está pensando[3] em cortar com serras de diamante chapas[4] finas, para usá-las na blindagem de nossos tanques[5] de guerra. Não há tiro[6] que fure. Isso poderá revolucionar a arte da guerra.

— É fantástico.

— Realmente. O único problema é o peso. Um homem mal[7] consegue levantar uma lasca[8] dessa madeira. Mais incrível ainda é a árvore-vacum (« cow tree »), muito abundante no Brazil. É da altura de um homem e tem no tronco pequenos brotos[9] que lembram tetas de vaca. A gente[10] acorda de manhã e sai pela mata[11] com um jarro. É só apertar aquela espécie de teta e esguicha leite, aliás muito nutritivo e saboroso ; nos piqueniques é preciso levar apenas *corn flakes*. Essa planta é uma prima distante da soja e da seringueira[12].

— Para negociar com madeiras você tem de viver no meio da selva !

— Eu vivo seis meses na selva e seis meses na famosa praia de Copacabana. É onde gasto todo o dinheiro que ganho.

A conversa descamba para onças e conto a caçada a uma de que participei, em um lugar[13] chamado Nova Iguaçu[14]. Ela se interessa[15] pelo nome mas não consegue dizê-lo.

---

1. **nem** = nem sequer, nem mesmo.
2. **para que serve**. Remarquez la construction du verbe **servir** (servir para = *servir à*).
3. **está pensando em cortar**. Remarquez la préposition **em** (pensar em = *penser à*).
4. **a chapa**, également *la tôle* ; a chapa do carro : *la plaque minéralogique de la voiture*. Familier : meu chapa, meu camarada, meu amigo *(mon vieux)*.
5. **o tanque** a aussi le sens de *réservoir*. Encher o tanque do carro = *faire le plein*.
6. **o tiro** = *le coup (d'une arme à feu)*.
7. **um homem mal consegue** = mot à mot *un homme parvient à peine*.
8. **a lasca** : le verbe **lascar** a le sens de *fendre*.
9. **o broto** = *la pousse*. Sens figuré : um broto, um brotinho,

— Même pas un grand clou d'acier ?

— Aucun. Le bois est comme de la pierre ou un morceau de fer, le nom lui-même l'indique. Le grand problème c'est de scier cet arbre. Aucune scie ne peut résister.

— Et à quoi sert ce bois-là ?

— Le gouvernement brésilien songe à le débiter avec des scies de diamant en fines plaques, pour les utiliser dans le blindage de nos tanks de guerre. Aucune balle ne le transperce. Cela pourra révolutionner l'art de la guerre.

— C'est fantastique.

— Tout à fait. Le seul problème c'est le poids. C'est tout juste si un homme parvient à soulever un copeau de ce bois. Plus incroyable encore est l'arbre-vacum ("cow tree"), très abondant au Brazil. Il est de la taille d'un homme et possède sur son tronc de petits rejets qui rappellent des pis de vache. On se réveille le matin et on va dans la forêt avec un pot. Il suffit de presser cette sorte de pis et le lait gicle, d'ailleurs très nutritif et savoureux ; pour les pique-niques il n'est besoin d'emporter que des *corn-flakes*. Cette plante est une cousine éloignée du soja et de l'hévéa.

— Pour faire du commerce de bois vous devez vivre au milieu de la forêt vierge !

— Je vis six mois dans la forêt vierge et six mois sur la célèbre plage de Copacabana. C'est là que je dépense tout l'argent que je gagne.

La conversation glisse sur les jaguars et je raconte la chasse à l'un d'entre eux à laquelle j'ai participé, dans un endroit appelé Nova Iguaçu. Elle s'intéresse au nom mais ne parvient pas à le prononcer.

---

un minet, une minette (jeunes gens).

10. **a gente acorda** : remarquez cette façon de traduire *on* lorsque la personne qui s'exprime s'inclut dans l'indéfini. **A gente** = *nous*, d'où *on*.

11. **a mata** = a floresta ; ici la selva ; o mato = *les broussailles* ; au Brésil **mato** a aussi le sens de *campagne* opposée à *la ville* (cidade).

12. **a seringueira,** *l'arbre à caoutchouc*. Ne confondez pas avec o seringueiro, l'homme chargé de recueillir le latex.

13. **em um lugar** = num lugar.

14. **Nova Iguaçu,** petite ville proche de Rio, transformée actuellement en cité dortoir.

15. **se interessa pelo nome**. Remarquez la construction de **interessar**. Interessar-se por = s'intéresser à.

Explico que é uma localidade onde há muitas feras e que se ela for[1] ao Brazil não pode deixar de[2] visitar. Ela não parece muito entusiasmada. Em Phil nos despedimos[3] e eu desço.

No fim da tarde pego outro ônibus, para Washington. Senta do meu lado, pasta de executivo[4], um senhor de óculos, da Virgínia. Fica espantado em saber que o Brazil tem quase o mesmo tamanho que os Estados Unidos[5].

— É tão grande assim, é[6] ?

Pergunta se a capital é o Rio de Janeiro.

— Não, o Rio de Janeiro é somente nossa cidade mais bonita. A capital mesmo é Porto Alegre, de onde eu sou, no Sul. Nós é que[7] mandamos no país[8].

— Nós ?

— Sim, nós, os gaúchos[9]. Porto Alegre é a capital dos gaúchos.

— Gaúcho ! Ah, sim — está contente porque já ouviu antes a palavra gaúcho, sabe que são *cowboys*.

E o governo ? Faço-me[10] de desentendido.

— O que é que tem ?

— É duro, não.

— E daí ? É uma democracia.

— Democracia ?

— Claro.

— Mas vocês têm eleições ?

Olha[11] aqui *mister*, o senhor acha que nós somos uma republiqueta[12] de bananas qualquer da América Central ? É claro que nós temos eleições — estou indignadíssimo[13].

---

1. **se ela for ao Brazil**, emploi du futur du subjonctif qui insiste sur l'éventualité.
2. **deixar de** : voir note 7, p. 42.
3. **nos despedimos** : ne confondez pas despedir-se de alguém = *prendre congé de qqun* et despedir alguém = *congédier qqun*.
4. **executivo**. Ce mot peut aussi être un adjectif : uma secretária executiva = *une secrétaire de direction*.
5. **Estados Unidos** : superficie 9 385 000 km². O Brasil : 8 451 214 km².
6. **E tão grande assim, é ?** Le deuxième **é**, sorte de reprise en écho, est une forme d'insistance qui marque ici l'étonnement.
7. **Nós é que mandamos**. Remarquez la tournure invariable **é**

J'explique que c'est une localité où il y a de nombreux fauves et que si elle va au Brazil elle ne peut manquer de la visiter. Elle ne semble pas très enthousiaste. A Philadelphie nous prenons congé et je descends.

En fin d'après-midi je prends un autre car pour Washington. A mon côté s'assied, avec un porte-documents de cadre, un monsieur à lunettes, de l'État de Virginie. Il est très étonné d'apprendre que le Brazil a presque la même taille que les États-Unis.

— Il est aussi grand que ça, vraiment ?

Il demande si la capitale est Rio de Janeiro.

— Non, Rio de Janeiro ce n'est que notre plus belle ville. La vraie capitale c'est Porto Alegre, d'où je suis, dans le Sud. C'est nous qui commandons dans le pays.

— Nous ?

— Oui, nous, les gauchos. Porto Alegre est la capitale des gauchos.

— Gaucho ! Ah, oui - Il est content parce qu'il a déjà entendu avant le mot gaucho, il sait que ce sont des cow-boys.

— Et le gouvernement ?

Je fais la sourde oreille.

— Qu'est-ce qu'il a de particulier ?

— Il est dur, non ?

— Et après ? C'est une démocratie.

— Démocratie ?

— Bien sûr.

— Mais vous avez des élections ?

— Dites donc, mister, vous pensez que nous sommes une républiquette de bananes quelconque de l'Amérique Centrale ? Bien sûr que nous avons des élections — je suis suprêmement indigné.

---

que qui a une valeur emphatique. Ex. : Eu é que faço = *c'est moi qui fais.*
8. no país. Le Rio Grande do Sul a toujours fourni de nombreux chefs politiques et présidents de la République. A l'époque du conte (1979) c'est le général Geisel, originaire de cet État, qui est au pouvoir. Rio de Janeiro a été capitale du Brésil jusqu'en 1960, date de l'inauguration de Brasília.
9. os gaúchos = *habitants du Rio Grande do Sul.*
10. faço-me de desentendido, finjo que não entendo. Fazer-se de... *feindre, faire le...* Fazer de palhaço, *faire le clown.*
11. olha aqui, forme populaire pour olhe.
12. Republiqueta : República + suffixe ETA, qui est péjoratif.
13. indignadíssimo = muito indignado.

— Mas vocês elegem o Presidente ?

— Não, o Presidente não, porque a nossa democracia é de tipo especial, invenção nossa[1], a famosa *brazilian way democracy*. O senhor já deve ter ouvido falar nela[2], não ? É uma das grandes invenções políticas do nosso tempo.

— Eu pensei que o governo de vocês fosse uma ditadura militar.

— É para o senhor ver[3] o grau de desinformação[4] sobre o Brazil no exterior. Nós inventamos um novo tipo de democracia, que chamamos *adjetivada*, mas sobre isso ninguém fala, ficam[5] repetindo que o Brazil é uma ditadura, que nós não temos eleições. Eu posso lhe mostrar minha carteira[6] de eleitor.

Faço menção[7] de puxar um documento do bolso, mas o americano diz que não é preciso, ele acredita em mim.

Eu me fecho no meu mutismo, um pouco irritado. Ele volta às boas[8], temeroso de haver ferido[9] meus brios patrióticos.

— Gosto de conversar com estrangeiros[10] — diz — A gente sempre aprende.

— Quanto a isso não há a menor dúvida.

— O que é que você faz ?

— Eu sou jornalista. O senhor deu sorte[11] de encontrar alguém bem informado.

— Os jornalistas são bem pagos[12] no Brasil ?

— Eu acho que, de modo geral, não temos do que nos queixar.

---

1. **invenção nossa**, remarquez la place du possessif **nossa**, qui est ainsi mis en valeur.
2. **falar nela** : falar em + compl. ou falar de + compl. = *parler de, sur*.
3. **é para o senhor ver. Ver** est un infinitif personnel (= é para que o senhor veja). Au pluriel on aurait : **é para os senhores verem**.
4. **desinformação** = *non-information, manque d'information*.
5. **ficam repetindo** < le verbe **ficar** a perdu son sens originel de *rester* ; il est une sorte d'auxiliaire et nous avons une véritable forme progressive. Remarquez cette autre traduction de l'indéfini *on* par la 3e pers. du pluriel. Elle s'emploie chaque fois que le sujet est vague. Voir les autres traductions de *on* note 1, p. 80 et note 10, p. 97.
6. **a carteira de eleitor** ; on dirait au Portugal o cartão de eleitor.

— Mais vous élisez le président ?

— Non, pas le président, parce que notre démocratie est d'un genre spécial, une invention à nous, la fameuse *brazilian way democracy*. Vous devez déjà en avoir entendu parler, non ? C'est une des grandes inventions politiques de notre temps.

— Je pensais que votre gouvernement était une dictature militaire.

— C'est pour que vous voyiez le degré d'ignorance au sujet du Brazil à l'étranger. Nous avons inventé un nouveau genre de démocratie que nous qualifions d'adjectivée, mais personne n'en parle ; on répète que le Brazil est une dictature militaire et que nous n'avons pas d'élections. Je peux vous montrer ma carte d'électeur.

Je fais le geste de tirer un document de ma poche, mais l'Américain dit que ce n'est pas la peine, il me croit.

Je me renferme dans mon mutisme un peu irrité. Il revient à de bons sentiments, craignant de m'avoir blessé dans mes élans patriotiques.

— J'aime bavarder avec des étrangers, dit-il, on apprend toujours.

— Pour ce qui est d'apprendre cela ne fait pas le moindre doute.

— Qu'est-ce que vous faites ?

— Je suis journaliste. Vous avez eu la chance de tomber sur quelqu'un de bien informé.

— Les journalistes sont bien payés au Brazil ?

— Moi, je trouve que, d'une façon générale, nous n'avons pas à nous plaindre.

---

7. **a menção** = *la mention.*
8. **volta às boas**, expression idiomatique ; às boas = amicalement. Estar às boas com alguém = estar de bem com alguém *(être au mieux, en bons termes avec qqun).*
9. **haver ferido** = ter ferido.
10. **estrangeiro** = *étranger* (d'un autre pays), mais estranho = *étranger* (inconnu), *étrange* ; forasteiro (que vem de fora) = *étranger* (à la ville, à la région), celui qui n'est pas d'ici, pas du coin.
11. **deu sorte** ici = teve sorte ; dar sorte a alguém = *porter chance à quelqu'un.*
12. **pagos** < participe passé irrégulier de **pagar** *(payer).*

Em Baltimore ele fica, nos despedimos amigos, promete da boca prá fora[1] que um dia vai conhecer[2] minha pátria. Altrapalhada com suas sacolas[3], sobe[4] uma velhota[5]. Eu a ajudo a acomodá-las[6], ela insiste para[7] que eu pegue uma maçã[8] ; it's a good start, diz. An apple a day keeps the doctor away, retruco[9], me lembrando de uma antiga lição de inglês. Por que lui falar ! Ela ri comprada pela minha sabedoria e não fecha mais a matraca[10]. É de Maryland, fala dela e das filhas, felizmente estão todas bem casadas. Saboreio[11] a pequena maçã amarela.

Começa tudo de novo. Sim, estou a passeio nos Estados Unidos. Certamente, gostei imensamente[12] de Nova York. E as cobras ? E a selva ? Eu não agüento mais.

Olho para fora mas já é noite[13], não há o que ver. Afinal ela cala a boca. Mas tem de ser gentil : abre a sacola, insiste para que eu pegue um jornal.

— Obrigado, eu não sei ler.

— I beg your pardon !

— Eu sou analfabeto.

— Analfabeto ? Você quer dizer que não sabe ler ? Eu não acredito[14] !

— Não ? É a triste realidade.

— Mas você parece um jovem tão inteligente.

— Eu sou. Acontece que é muito comum no Brazil pessoas que não sabem ler. A senhora deve ter ouvido a respeito[15].

A velhinha está chocadíssima.

— Mas você devia[16] aprender logo a ler. É muito importante.

---

1. **da boca prá fora** = para quem quiser ouvir.
2. **vai conhecer** : **ir** + infinitif traduit un futur immédiat.
3. **a sacola** = *le sac à provisions.* Ne confondez pas avec *le sac à main* = a bolsa.
4. **sobe** < v. **subir.** Attention aux irrégularités de ce verbe (dans la même catégorie : sacudir, *secouer,* cuspir, *cracher*).
5. **a velhota** = a velhinha.
6. **acomodá-las** < v. **acomodar.** Faux ami : instalar.
7. **insista para** < v. **insistir.** Attention : ce verbe a deux constructions : insistir para ou insistir em = *insister pour* et *insister sur.*
8. **a maçã** = *la pomme ;* a macieira = *le pommier,* mais o pomar = *le verger.*
9. **retruco** < **retrucar** = replicar.

A Baltimore il descend, nous prenons congé en amis, il promet à qui veut l'entendre qu'un jour il ira connaître ma patrie. Gênée par ses grands sacs, une vieille femme monte. Je l'aide à les ranger, elle insiste pour que je prenne une pomme : *It's a good start*, dit-elle. *An apple a day keeps the doctor away*, répliqué-je, me rappelant une vieille leçon d'anglais. Pourquoi ai-je dit ça ? Elle rit, conquise par mon savoir et n'arrête plus sa moulinette. Elle est du Maryland, elle parle d'elle et de ses filles, heureusement toutes bien mariées. Je savoure la petite pomme jaune.

Tout recommence. Oui, je suis aux États-Unis pour me promener. Bien sûr, j'ai beaucoup aimé New York. Et les serpents ? Et la forêt vierge ? Je n'en peux plus.

Je regarde dehors mais il fait déjà nuit, il n'y a rien à voir. Finalement elle se tait. Mais elle doit se montrer gentille : elle ouvre son grand sac, insiste pour que je prenne un journal.

— Merci, je ne sais pas lire.
— *I beg your pardon !*
— Je suis analphabète.
— Analphabète ? Vous voulez dire que vous ne savez pas lire ? Ce n'est pas possible !
— Non ? C'est la triste réalité.
— Mais vous semblez être un jeune homme si intelligent !
— Je le suis. Il se trouve qu'il est très fréquent au Brazil que les gens ne sachent pas lire. Vous avez dû en entendre parler.

La vieille dame est profondément choquée.

— Mais vous devriez apprendre à lire tout de suite. C'est très important.

---

10. **a matraca** = *la crécelle*. Sens figuré : **uma pessoa que fala muito.**
11. **saboreio,** v. **saborear,** voir note 8, p. 93.
12. **gostei imensamente** = **gostei imenso.** Remarquez que l'adjectif (ici **imenso**) peut être couramment employé avec une valeur adverbiale.
13. **já é noite.** Remarquez l'expression *il fait déjà nuit*. De même, **já é dia** = *il fait déjà jour*.
14. **eu não acredito,** m. à m. *je ne crois pas*. Attention à la construction de ce verbe : **acreditar em** *(croire à, croire en)*.
15. **a respeito de** = *au sujet de*.
16. **você devia aprender,** voir note 2, p. 92.

— Eu sei. É meu grande sonho. Eu já conheço todas as letras[1]. Sei, por exemplo, que isto aqui é um *m*. Meu único problema é juntar todas elas, aí é que eu me atrapalho. Assim que voltar[2] para o Brazil[3], juro que aprendo[4] a fazer isso.

— Você deve, realmente.

Há uma pausa na conversa. Depois ela pergunta, suspeitosa :

— Se você não sabe ler, como é que aprendeu inglês ?

— Ah, é porque eu nasci e me criei[5] no cais[6]. Minha mãe vivia de vender souvenirs[7] — eu não tinha pai — de modo que a nossa casa vivia sempre cheia de marinheiros americanos e ingleses.

— Ah, compreendo — diz ela lentamente, franzindo o nariz.

E a boa senhora de Maryland não fala mais comigo, até que nosso ônibus é envolvido[8] pelas primeiras luzes de Washington.

---

1. **a letra** = *la lettre* (alphabet). Aussi : *les paroles* d'une chanson ou encore *l'écriture*.
2. **assim que voltar**, voir note 1, page 98.
3. **o Brazil**. Vous avez pu remarquer dans tout le texte que l'auteur emploie l'américanisme **Brazil**. En portugais on écrit **Brasil**.
4. **juro que aprendo**, remarquez l'emploi du présent de l'indicatif à valeur de futur.
5. **criei** < v. **criar** = *élever*. Faux ami. Ne confondez pas avec gritar (= *crier*) ; criar-se = crescer.
6. **o cais** = *le quai (fluvial ou maritime)* ; os cais = *les quais*.
7. **souvenirs.** En portugais on dirait lembranças ou recordações.
8. **envolvido**, vèrbe envolver = *envelopper, entourer.*

— Je sais. C'est mon grand rêve. Je connais déjà toutes les lettres. Je sais, par exemple, que ça c'est un m. Mon seul problème est de toutes les assembler, c'est là que je me perds. Dès que je rentrerai au Brazil je jure que j'apprendrai à le faire.

— Vous le devez absolument.

Il y a une pause dans la conversation. Puis elle demande, soupçonneuse :

— Si vous ne savez pas lire, comment est-ce que vous avez appris l'anglais ?

— Ah, c'est parce que je suis né et que j'ai grandi sur le port. Ma mère vivait de la vente de souvenirs (je n'avais pas de père) de sorte que notre maison était toujours pleine de marins américains et anglais.

— Ah, je comprends, dit-elle lentement, en tordant le nez.

Et la bonne dame du Maryland ne me parle plus, jusqu'au moment où les premières lumières de Washington inondent notre car.

Révisions

Vous avez rencontré dans le conte que vous venez de lire l'équivalent des expressions françaises suivantes.

Vous en souvenez-vous ?

1. Vous y allez ?
2. Elle prend un air entendu.
3. Ils se promènent partout.
4. Je luttai de toutes mes forces.
5. Elle trouve un sujet de conversation.
6. Je fais du commerce de bois.
7. C'est le bois le plus dur qui existe au monde.
8. Aucune scie ne peut résister.
9. A quoi sert ce bois-là ?
10. Elle s'intéresse au nom.
11. Et après ? C'est une démocratie.
12. Vous devez déjà en avoir entendu parler.
13. Je fais le geste de tirer.
14. Nous n'avons pas à nous plaindre.
15. Vous devriez apprendre à lire tout de suite.

1. Vai para lá ?
2. Ela faz um ar de compreensão.
3. Passeiam por toda a parte.
4. Lutei com todas as minhas forças.
5. Ela puxa assunto.
6. Negocio com madeiras.
7. É a madeira mais dura que existe no mundo.
8. Não há serra que resista.
9. Para que serve tal madeira ?
10. Ela se interessa pelo nome.
11. E daí ? É uma democracia.
12. O senhor já deve ter ouvido falar nela.
13. Faço menção de puxar.
14. Não temos do que nos queixar.
15. Você devia aprender logo a ler.

Carlos Eduardo NOVAES

Alternativas[1] alimentares

Alternatives alimentaires

Carlos Eduardo Novaes est né à Rio en 1940. Il fait plusieurs métiers. Sa vie comprend trois périodes (division de l'auteur) : la préhistoire, vécue à Rio jusqu'à l'âge de dix-neuf ans, le Moyen Age, à Salvador (État de Bahia) jusqu'à vingt-neuf ans et l'époque contemporaine qui commence en 1968 avec son retour à Rio. Lors de cette troisième période, il se consacre au journalisme *(Jornal do Brasil, Shopping News, Jornal da Semana,* etc.), plus particulièrement à la chronique dans laquelle l'humour règne en maître. Il écrit aussi des pièces de théâtre, fait du cinéma, et travaille à la télévision *(TV Globo, TV Educativa).* Ses chroniques sont publiées en recueils : *O Quiabo comunista, Juvenal Ouriço Repórter,* etc., et pour ne citer que les derniers : *Crónica de uma Brisa Eleitoral* (1983), et *O Day After do Carioca* (1985). « Alternativas alimentares », la chronique que nous présentons ici, est extraite de *Democracia à Vista* (1981).

Eu não consigo. Eu juro que não consigo. Estou tentando pela décima segunda vez e não consigo preparar uma *sojoada*[2]. Quase sempre o feijão cozinha[3], mas a soja permanece crua. Agora, na minha última tentativa a soja cozinhou (estava há três dias no fogo) mas quando olhei pro[4] fogão[5] o feijão[6] tinha-se evaporado e a panela derretido. Não tenho a menor intimidade com a soja. É natural : enquanto o feijão-preto é coisa nossa[7] — presume-se que há 7 mil anos já era cultivado por índios brasileiros — a soja é nativa da Asia. Chineses e japoneses comem soja desde antes do Dilúvio. Agora, experimentem botar[8] feijão-preto no prato de um japonês. Ele vai dar um murro[9], fazer meia dúzia de caretas, subir em cima da mesa, resmungar durante 15 minutos, assumir uma posição marcial e pisotear no prato. A soja é uma leguminosa realmente rica em proteínas, mas tem[10] um pequeno problema : se a pessoa comer[11] todos os dias, acaba ficando[12] com uma coloração amarelada[13] e os olhos rasgados. De qualquer maneira, apesar de chamar a soja de senhora — tal a minha falta de intimidade — continuo insistindo. O Ministro da Agricultura fez uma expressão tão feliz diante das câmaras, comendo *sojoada*, que eu fiquei com água na boca.

---

1. **alternativas**. Remarquez le sens de ce mot « alternative » (anglicisme) = *solution de remplacement*.
2. **sojoada**. Ce mot est forgé sur feijoada (composé de feijão = *haricot* + le suffixe **ada**, qui indique un ensemble de qq.ch.). La feijoada est le plat national brésilien. Il comprend des haricots noirs, du riz, de la farofa (à base de farine de manióc), des choux finement coupés, différents légumes et plusieurs types de viande et de charcuterie. Ce plat est servi avec de fines tranches d'oranges.
3. **cozinhar** = *cuisiner, faire cuire qq.ch.*, intransitif, ce verbe a le sens de cuire.
4. **pro** = transcription phonétique de **para o**.
5. **o fogão** = *la cuisinière* (appareil) ; a cozinheira = *la cuisinière* (personne).
6. **o feijão** = *le haricot*, mais aussi le grain, la graine (o feijão de soja).

Je n'y arrive pas. Je jure que je n'y arrive pas. Cela fait la douzième fois que j'essaie et je n'arrive pas à préparer une *sojoada*. Presque toujours le haricot finit par cuire, mais le soja, lui, reste cru. Maintenant, lors de ma dernière tentative, le soja a cuit (il était depuis trois jours sur le feu), mais quand j'ai regardé la cuisinière, les graines s'étaient évaporées et la casserole avait fondu. Je n'ai pas la moindre intimité avec le soja. C'est naturel : alors que le haricot noir est bien à nous — on présume qu'il y a sept mille ans il était déjà cultivé par des Indiens brésiliens — le soja est natif d'Asie. Chinois et Japonais mangent du soja depuis avant le Déluge. Maintenant, essayez de mettre des haricots noirs dans l'assiette d'un Japonais. Il va donner un coup de poing, faire une demi-douzaine de grimaces, monter sur la table, marmotter pendant quinze minutes, assumer une position martiale et piétiner l'assiette. Le soja est une légumineuse réellement riche en protéines, mais il y a un petit problème : si la personne en mange tous les jours, elle finit par prendre une coloration jaunâtre et par avoir les yeux bridés. De toute façon, bien que je traite le soja de monsieur — tel est mon manque d'intimité — j'insiste toujours. Le ministre de l'Agriculture a eu une expression si heureuse devant les caméras, en mangeant de la *sojoada*, que j'en ai eu l'eau à la bouche.

---

7. **coisa nossa**. Remarquez la place du possessif après le nom, ce qui marque une insistance.
8. **botar** = pôr (usage courant au Brésil).
9. **o murro** = *le coup de poing* ; ne pas confondre avec o muro = *le mur*.
10. **tem** = há (voir note 18, p. 10).
11. **se a pessoa comer**, le futur du subjonctif insiste sur l'éventualité de l'action à réaliser.
12. **acaba ficando** = acaba por ficar.
13. **amarelada**, amarelo *(jaune)* + ada. Ce suffixe donne à la couleur une connotation péjorative ou indique une couleur plus claire : azulado = *bleuté* ; avermelhado = *rougeâtre*.

Ao[1] terminar o almoço, entrei no restaurante da Bolsa dos Gêneros Alimentícios do Rio e fui a ele[2], procurar[3] saber qual é o gosto da soja.

— Bem, disse ele tentando[4] me explicar enquanto sorria para as câmaras de TV — a soja tem um gosto... assim... um gosto de... como direi ?... é algo muito especial... um sabor de... de... não adianta[5], não dá pra[6] explicar, você tem que provar.

A soja (do japonês *shoyu*) é só o começo, meus caros. Podem esperar que vem mais por aí. À medida que a crise econômica se agravar[7] e o Governo se mostrar[7] impotente pra controlar os preços, a dieta brasileira (do brasileiro que ainda come, bem entendido) passará por[8] uma verdadeira revolução.

Não se surpreendam se no mês que vem o Ministro da Agricultura voltar[7] à Bolsa dos Gêneros Alimentícios para provar mais alguns pratos[9] preparados para uma nova alternativa alimentar do carioca[10] : o *arropor*[11].

O almoço marcará o lançamento oficial no mercado do arroz enriquecido com grão de isopor.

— Bom, muito bom, dirá o Ministro mastigando o isopor e sorrindo para as câmaras. — Macio[12], não ?

— Só que o isopor demora uma semana para cozinhar, Ministro.

— Isso é o de menos, dirá o Ministro sorrindo pras câmaras enquanto bota o arroz num canto do prato e come só o isopor, basta colocar uma pitadinha de soda cáustica.

---

1. **Ao terminar** = quando terminei. Ao + verbe infinitif s'emploie lorsque deux actions sont simultanées.

2. **fui a ele**, 1re personne du singulier du prétérit indicatif de ir a = dirigir-se, aproximar-se de.

3. **procurar saber**. Remarquez la construction de **procurar**, transitive en portugais = *chercher à savoir*.

4. **tentando me explicar**, tentar est transitif en portugais = *en essayant de m'expliquer*.

5. **não adianta** = não dá = não é possível. Le verbe adiantar a aussi le sens de *avancer*. Ex. : o relógio adianta, *la montre avance*. Attention : o relógio adianta dez minutos, *la montre avance de dix minutes*.

6. **não dá pra** = não dá para = não é possível. Dá para fazer este trabalho = *Vous est-il possible de faire ce travail ?*

7. **se agravar**, subjonctif futur (voir note 11, p. 109).

A la fin du déjeuner, je suis entré dans le restaurant de la Bourse du Commerce de Rio et je me suis approché de lui, pour chercher à savoir quel est le goût du soja.

— Eh bien, dit-il en essayant de me l'expliquer tout en souriant aux caméras de TV, le soja a un goût... comme.. un goût de. comment dirai-je ? C'est quelque chose de très spécial... une saveur de... de... ce n'est pas possible de l'expliquer, vous devez goûter.

Le soja (du japonais *shoyu*), ce n'est que le début, mes chers amis. Vous ne perdez rien pour attendre Au fur et à mesure que la crise économique s'aggravera et que le gouvernement se montrera impuissant à contrôler les prix, le régime alimentaire du Brésilien (du Brésilien qui mange encore, bien entendu) subira une véritable révolution.

Ne soyez pas surpris si le mois prochain le ministre de l'Agriculture revient à la Bourse du Commerce pour goûter quelques autres plats préparés pour une nouvelle alternative alimentaire du « carioque » : le *ristyrène*.

Le déjeuner marquera le lancement officiel sur le marché du riz enrichi de grains de polystyrène.

— C'est bon, c'est très bon, dira le ministre en mastiquant le polystyrène et souriant aux caméras. C'est tendre, n'est-ce pas ?

Mais il faut une semaine pour que le polystyrène cuise, Monsieur le Ministre.

— Ce n'est qu'un moindre mal, dira le ministre souriant aux caméras tandis qu'il pousse le riz dans un coin de son assiette et ne mange que le polystyrène, il suffit de mettre une petite pincée de soude caustique.

---

8. **passará por** = sofrerá.
9. **mais alguns pratos**, pour la place de **mais**, voir note 31, p. 50.
10. **carioca**, nom donné aux habitants de Rio.
11. **arropor**, mot inventé par l'auteur à partir de **arroz** *(riz)* + isopor (*polystyrène*, Brésil).
12. **Macio** = *tendre, doux* (au toucher). *Doux* peut aussi se traduire par **doce** *(sucré)*, **meigo** *(doux, affectueux, tendre)*, **suave** (+ général). *Tendre* a plusieurs traductions : **tenro** (pour la viande), **terno** (*tendre*, sentiment), d'où a **ternura** = *la tendresse.*

Passaremos[1] a comer então *sojoada* com *arropor*, acompanhada de todos os outros ingredientes como a carne de porco, a farinha[2] e a couve. Isso é claro, até o momento em que a couve sumir[3] do mercado. Nesse dia, a Secretaria[4] do Planejamento da Presidência da República (Seplan) divulgará um cardápio[5] anunciando que, para substituir a couve, o carioca conta com[6] uma excelente alternativa alimentar : a samambaia[7]. O Ministro da Agricultura tornará a aparecer na Bolsa dos Gêneros Alimentícios para comer a sua *sojoada* com *arropor* e exaltar[8] o alto teor nutritivo da samambaia.

— Tenho a certeza — dirá o Ministro diante das câmaras estendendo o seu prato[9] pra pedir mais um pouco da nova couve... da chorona[10], da chorona ! — que quando o carioca descobrir[11] as qualidades nutritivas da samambaia jamais voltará a comer[12] grama[13]. (A grama tinha sido lançada uma semana antes para substituir a alface que sumiu[14] do mercado ninguém sabe como.) O Ministro, na ocasião, estivera na Bolsa fazendo a apologia da erva gramínea diante das câmaras da T.V. Disse ele que o carioca precisava terminar com esse preconceito contra a grama porque os equinos e os bovinos faziam dela a *pièce de résistance* de sua dieta « e vejam só a disposição, a saúde e o peso desses animais » !

— Eu mesmo, afirmava o Ministro diante das câmaras enquanto tirava da boca uma trava de chuteira[15] que por acaso estava misturada com a grama, eu mesmo, depois que passei a incluir essas ervas gramíneas no meu cardápio, ando com uma saúde cavalar.

---

1. **Passaremos a** + inf. < v. **passar a** + inf. = começar a + inf.
2. **a farinha** = *la farine*. Au Brésil, si l'on ne précise pas, ce mot désigne *la farine de manioc* (farinha de mandioca).
3. **sumir**, futur du subjonctif du v. **sumir** = desaparecer.
4. **a secretaria**, o secretariado = *le secrétariat* ; a secretária = *la secrétaire.*
5. **o cardápio** = a ementa, a lista (au Portugal).
6. **conta com** < **contar com** = *compter sur.* Attention à l'emploi de la préposition.
7. **a samambaia** (mot d'origine tupi) = *la fougère* (au Brésil) = o feto (au Portugal).
8. **exaltar** = gabar.

112

Nous nous mettrons alors à manger de la *sojoada* avec du *ristyrène*, accompagnée de tous les autres ingrédients comme la viande de porc, la farine de manioc et le chou. Bien sûr, jusqu'au moment où le chou disparaîtra du marché. Ce jour-là, le Secrétariat au Plan de la Présidence de la République (Seplan) divulguera un menu annonçant que, pour remplacer le chou, le « carioque » dispose d'une excellente alternative alimentaire : la fougère. Le ministre de l'Agriculture réapparaîtra à la Bourse du Commerce, pour manger sa *sojoada* avec du *ristyrène* et vanter la haute teneur nutritive de la fougère.

— Je suis certain — dira le ministre devant les caméras tendant son assiette pour demander un peu plus de ce nouveau chou... de la retombante, de la retombante ! — que lorsque le « carioque » découvrira les qualités nutritives de la fougère il ne remangera plus de gazon. (Le gazon avait été lancé une semaine auparavant pour remplacer la laitue qui avait disparu du marché personne ne sait comment.) Le ministre, à cette occasion, était allé à la Bourse faire l'apologie de cette graminée devant les caméras de TV. Il dit que le « carioque » devait en finir avec ce préjugé contre le gazon car les équidés et les bovins en faisaient la pièce de résistance de leur régime « et voyez donc la disposition, la santé et le poids de ces animaux ! »

— Moi-même, affirmait le ministre devant les caméras, tout en retirant de sa bouche un crampon de chaussure de football qui par hasard était mélangé au gazon, moi-même, depuis que j'ai introduit ces graminées dans mon régime, je bénéficie d'une santé de cheval.

---

9. **o prato** = *l'assiette* ou *le plat* (le mets). Ne confondez pas avec *le plat* (récipient) = **a travessa** (plat long) ; **o prato raso** = *l'assiette plate ;* **o prato fundo** = *l'assiette creuse*.
10. **a̧ samambaia chorona** = *fougère retombante ;* **chorar** = *pleurer ;* **o chorão** = *le saule pleureur.*
11. **descobrir.** Remarquez bien le futur du subjonctif.
12. **voltará a comer** = *tornará a comer.*
13. **a grama** : au Portugal = *le chiendent ;* *le gazon* = **a relva**. *La pelouse* = **a grama** (B.), **o relvado** (P.). Ne confondez pas avec **o grama** = *le gramme.*
14. **que sumiu** = *qui disparut.*
15. **a chuteira**, de l'anglais *to shoot* = *donner un coup de pied.*

113

Em novembro, mais ou menos, o Ministro voltou ao Rio[1] para lançar uma outra alternativa alimentar sugerida pelos cérebros da Seplan. Só que[2] dessa vez, como os almoços na Bolsa já se tornavam monótonos, o Ministro resolveu lançar[3] a nova alternativa, junto com[4] a *sojoada*, o *arropor* e a samambaia, na praia. Haverá uma pequena solenidade no calçadão[5] da Avenida Atlântica. Ao seu término[6] o Ministro, seus assessores e convidados se enchafurdarão[7] na areia até uma barraca verde e amarela[8] onde estará esperando por[9] eles a mais recente alternativa alimentar do carioca : a *fareia*.

A *fareia*, como se pode perceber, é uma mistura de farinha, enriquecida pela areia da praia. A *fareia* foi uma sacada[10] genial dos cérebros da Seplan preocupados em facilitar a vida do consumidor[11] carioca desde o dia em que a farinha de mandioca sumiu do mercado.

Além de ser muito mais nutritiva[12] (a areia não contém[13] mineral : ela é o próprio mineral) sairia muito mais barato, já que temos areias em abundância em nossas praias. Segundo os cálculos da Seplan a população do Rio de Janeiro demoraria[14] uns cinco anos para comer toda a praia de Copacabana.

Sentado debaixo da barraca, o Ministro pediu que lhe passassem a farinheira, cheia de *fareia* e esparramou com fartura sobre sua *sojoada*, fazendo um ar de grande felicidade diante das câmaras de televisão.

— Estou muito necessitado de mineral, dizia o Ministro, empurrando pra dentro da boca a areia que estava espalhada pelo bigode.

---

1. Remarquez l'emploi de l'article défini devant les noms de ville lorsque ceux-ci indiquent un nom commun (o rio = *le fleuve, la rivière*).
2. **Só que** = *seulement que...*
3. **resolveu lançar** = decidiu lançar. Remarquez l'absence de préposition après resolver et decidir.
4. **junto com** = *avec, de concert avec* ; attention junto a, junto de = *près de, à côté de.*
5. **calçadão**, augmentatif de calçada (*trottoir* au Brésil) ; ce mot a aussi le sens de *rue piétonne*. Au Portugal : a calçada = *la chaussée ;* o passeio = *le trottoir.*
6. **o término** = o fim = *la fin.*
7. **se enchafurdarão** < v. **enchafurdar** = *se vautrer.*
8. **barraca verde e amarela.** Le vert et le jaune sont les couleurs du drapeau brésilien.

En novembre, approximativement, le ministre revint à Rio pour lancer une autre alternative alimentaire suggérée par les cerveaux de la Seplan. Mais, cette fois, comme les déjeuners à la Bourse devenaient déjà monotones, le ministre décida de lancer la nouvelle alternative, de concert avec la *sojoada*, le *ristyrène* et la fougère, à la plage. Il y aura une petite solennité sur la promenade de l'avenue Atlantique. Lorsqu'elle prendra fin, le ministre, ses assesseurs et ses invités s'enfonceront dans le sable jusqu'à un parasol vert et jaune où les attendra la plus récente alternative alimentaire du « carioque » : la *farissable*.

La *farissable*, comme l'on peut s'en rendre compte, est un mélange de farine, enrichie du sable de la plage. La *farissable* fut une trouvaille géniale des cerveaux de la Seplan préoccupés de faciliter la vie du consommateur « carioque » depuis le jour où la farine de manioc disparut du marché.

Elle est beaucoup plus nutritive (le sable ne contient aucun minéral : il est lui-même minéral) et de plus elle reviendrait bien meilleur marché, puisque nous avons des sables en abondance sur nos plages. D'après les calculs de la Seplan, la population de Rio de Janeiro mettrait environ cinq ans pour manger toute la plage de Copacabana.

Assis sous le parasol, le ministre demanda qu'on lui passât la boîte de farine de manioc pleine de *farissable* et la répandit abondamment sur sa *sojoada*, prenant un air de félicité extrême devant les caméras de télévision.

— J'ai grand besoin de minéraux, disait le ministre, poussant dans sa bouche le sable qui était éparpillé sur sa moustache.

---

9. **esperando por ele**, gérondif du verbe **esperar por alguém** ou **esperar alguém** = *attendre quelqu'un.*

10. **a sacada** signifie aussi *le balcon* = **a varanda**. Attention : o balcão = *le comptoir.*

11. **o consumidor** < v. **consumir** = *consommer.* Attention : o consumo = *la consommation.*

12. **além de ser muito mais nutritiva,** m. à m. *outre le fait d'être plus nutritive.*

13. **contém** (3e personne du singulier du présent indicatif de conter) ; ne pas confondre avec **contêm**, 3e personne du pluriel du présent de l'indicatif du même verbe.

14. **demoraria** = levaria.

— Mas, Ministro, a areia é um alimento difícil de se mastigar, incomoda os dentes...

— Não, não, retrucou o Ministro enquanto apanhava um punhado de *fareia*, abria a boca e jogava por cima — isso é apenas uma questão de hábito... Quando todos se conscientizarem[1] das vantagens dessa substância mineral pulverulenta, ninguém mais vai preocupar-se com os dentes.

Pelas minhas contas, até o final do ano o único ingrediente autêntico que vai sobrar[2] da nossa tradicional feijoada são os pedaços de carne de porco. Isto, naturalmente, até o dia em que o porco sumir[1] do mercado. A partir daí, não se espantem[3] se, num sábado desses, vocês saírem[1] pra comer uma *sojoada* e derem[1] de cara com[4] um pé de galinha mergulhado na terrina. Bem, nesse dia eu paro de comer *sojoada*. Não é por nada, não : é que a parte que mais gosto[5] da feijoada *(sojoada)* é a orelha, e galinha pelo que me consta[6] não tem orelha.

— Não tinha, corrigiu-me um dos cérebros da Seplan.

— Vá ao nosso próximo almoço na Bolsa dos Gêneros Alimentícios que estaremos lançando a galinha com rabo e orelha.

— O Ministro da Agricultura vai ?

— Não. Infelizmente o Ministro *tá*[7] de cama. Quase morreu de uma intoxicação alimentar.

---

1. **conscientizarem, sumir, saírem, derem** : série de futurs du subjonctif indiquant l'éventualité.
2. **sobrar** = ficar.
3. **não se espantem** (< v. **espantar-se**) = não se admirem (< v. admirar-se).
4. **derem de cara com**, de l'expression dar de cara com = *tomber sur, rencontrer par hasard ;* a cara = *le visage* ; encarar = *regarder en face, affronter.*
5. **a parte que mais gosto**, forme populaire pour a parte de que mais gosto. Le verbe gostar de = *aimer.*
6. **pelo que me consta**, du verbe constar ; ce verbe a aussi le sens de = *être inclus dans, être compris dans.*
7. **tá**, forme populaire pour está.

— Mais, Monsieur le ministre, le sable est un aliment difficile à mastiquer, il fait mal aux dents...

— Non, non, rétorqua le ministre, alors qu'il prenait une poignée de *farissable*, ouvrait la bouche et la lançait en l'air, ce n'est qu'une question d'habitude... Lorsque tout le monde aura pris conscience des avantages de cette substance minérale pulvérulente, personne ne se fera plus de souci pour ses dents.

D'après mes calculs, d'ici la fin de l'année le seul ingrédient authentique qui va rester de notre traditionnelle *feijoada* est la viande de porc coupée en morceaux. Cela, bien entendu, jusqu'au jour où le porc disparaîtra du marché. Alors ne soyez pas étonnés si l'un de ces samedis, allant manger une *sojoada*, vous tombez sur une patte de poule plongée dans la terrine. Eh bien, ce jour-là, moi, j'arrête de manger de la *sojoada*. Ce n'est pas que... non : mais la partie que je préfère dans la *feijoada (sojoada)* c'est l'oreille, et la poule pour autant que je sache n'a pas d'oreille.

— N'avait pas, me corrigea l'un des cerveaux de la Seplan.

— Allez à notre prochain déjeuner à la Bourse du Commerce car nous allons lancer la poule avec queue et oreilles.

— Le ministre de l'Agriculture y va ?

— Non. Malheureusement, le ministre est alité. Il a failli mourir d'une intoxication alimentaire.

Révisions

Vous avez rencontré dans la chronique que vous venez de lire l'équivalent des expressions françaises suivantes.
   Vous en souvenez-vous ?

1. Je n'y arrive pas.
2. J'en ai eu l'eau à la bouche.
3. Ce n'est pas la peine.
4. Ce n'est pas possible de l'expliquer.
5. Il faut une semaine pour qu'il cuise.
6. Ce n'est qu'un moindre mal.
7. Quand il découvrira les qualités.
8. Elle reviendrait bien meilleur marché.
9. D'après mes calculs.
10. Un de ces samedis.
11. S'ils tombent sur une patte de poule.
12. Ce n'est pas que...

1. Eu não consigo.
2. Fiquei com água na boca.
3. Não adianta.
4. Não dá para explicar.
5. Demora uma semana para cozinhar.
6. Isso é o de menos.
7. Quando ele descobrir as qualidades.
8. Sairia muito mais barato.
9. Pelas minhas contas.
10. Num sábado desses.
11. Se derem de cara com um pé de galinha.
12. Não é por nada, não.

Murilo RUBIÃO

O homem do boné[1] cinzento

L'homme à la casquette grise

Murilo Rubião est né en 1916 dans l'État de Minas Gerais. Il se consacre au journalisme et à la littérature. Pionnier et maître du conte fantastique au Brésil, il publie son premier recueil en 1947 : *O Ex-Mágico*.

A partir des années 70, grâce à l'influence de certains écrivains latino-américains, ce genre devient à la mode. Nous avons alors les recueils suivants : *O Pirotécnico Zacarias* (1974), *O Convidado* (1974) et *A Casa do Girassol Vermelho* (1978), d'où est extrait « O Homem do Boné Cinzento ».

L'auteur reprend ses contes méticuleusement et parfois les réécrit. Son univers surréaliste oscille entre la comédie et la tragédie.

« Eu, Nabucodonosor, estava sossegado[2] em minha casa, e florescente no meu palácio. »

(Daniel, 4, 1)

O culpado foi[3] o homem do boné cinzento. Antes da sua vinda, a nossa rua era o trecho mais sossegado[4] da cidade. Tinha um largo passeio, onde brincavam crianças. Travessas crianças. Enchiam de doce alarido[5] as enevoadas[6] noites de inverno, cantando de mãos dadas ou correndo de uma árvore a outra.

A nossa intranqüilidade[7] começou na madrugada em que fomos despertados por desusado movimento de caminhões[8], a despejarem[9] pesados caixotes no prédio do antigo hotel. Disseram-nos, posteriormente, tratar-se da mobília de um rico celibatário[10], que passaria[11] a residir ali. Achei leviana a informação. Além de ser demasiado grande para uma só pessoa[12], a casa estava caindo aos pedaços[13]. A quantidade de volumes, empilhados na espaçosa varanda do edifício, permitia suposições menos inverossímeis[14]. Possivelmente a casa havia sido alugada[15] para depósito de algum estabelecimento comercial.

---

1. **o boné,** faux ami. Le *bonnet* = o gorro, a carapuça.
2. **estava sossegado,** m. à m. *j'étais tranquille.*
3. Remarquez que le français n'est pas tenu de respecter la concordance des temps.
4. **o trecho mais sossegado**. Remarquez que l'on n'emploie pas l'article défini devant le superlatif placé après un nom, précédé lui-même de l'article défini. Era o homem mais competente = *c'était l'homme le plus compétent*, mais este homem era o mais competente (de todos) = *cet homme était le plus compétent* (de tous).
5. **o alarido** = a gritaria, os gritos.
6. **enevoadas** < a névoa, *la brume ;* o nevoeiro, a neblina, a cerração (B.) = *le brouillard* (plus dense).
7. **intranqüilidade**, au Portugal, le tréma ne s'emploie plus.
8. **os caminhões** = pl. de o caminhão. Au Portugal on dit os camiões, (o camião).

> « Moi, Nabuchodonosor, je me tenais sans souci dans ma maison, et florissant dans mon palais. »
> (Daniel, 4,1)

Le coupable, c'est l'homme à la casquette grise. Avant son arrivée, notre rue était l'endroit le plus calme de la ville. Elle avait un large trottoir sur lequel s'amusaient les enfants. D'espiègles enfants. Ils remplissaient d'une douce clameur les soirées d'hiver embrumées, chantant en se donnant la main ou en courant d'un arbre à l'autre.

Notre inquiétude commença à l'aube du jour où nous fûmes réveillés par un va-et-vient inhabituel de camions qui déchargeaient de lourdes caisses dans l'immeuble de l'ancien hôtel. On nous dit, par la suite, qu'il s'agissait des meubles d'un riche célibataire, qui allait s'établir ici. Je trouvai le renseignement peu sérieux. D'abord la maison était trop grande pour une personne seule et puis elle était en train de s'écrouler. La quantité de malles empilées sur la vaste terrasse de l'édifice permettait de faire des suppositions moins invraisemblables. Probablement avait-on loué la maison en guise de dépôt de quelque établissement commercial.

---

9. **despejarem**. Remarquez l'emploi de l'infinitif personnel.

10. **o celibatário** = o solteiro. Um solteirão = *un vieux garçon* (fém. : a solteirona).

11. **passaria.** Remarquez que dans ce cas le portugais emploie un conditionnel, pour traduire une éventualité dans le passé.

12. **uma só pessoa** = uma única pessoa.

13. **cair aos pedaços** = *être harassé, ne plus en pouvoir* (pour une personne) ; mot à mot *tomber en morceaux*.

14. **inverossímeis,** pl. de inverossímil (Brésil) ; au Portugal = inverosímil.

15. **havia sido alugada** = tinha sido alugada.

Meu irmão Artur, sempre ao sabor[1] de exagerada sensibilidade, contestava enérgico as minhas conclusões.

Nervoso, afirmava que as casas começavam a tremer e apontava-me o céu, onde se revezavam[2] o branco e o cinzento. (Pontos brancos, pontos cinzentos[3], quadradinhos[4] perfeitos das duas cores, a substituírem[5]-se rápidos, lépidos[6], saltitantes.)

Daquela vez, a mania de contradição me arrastara a um erro grosseiro, pois antes de decorrida uma semana[7] chegava o novo vizinho. Cobria-lhe a cabeça um boné xadrez[8] (cinzento e branco) e entre os dentes escuros trazia um cachimbo curvo. Os olhos fundos, a roupa sobrando[9] no corpo esquelético e pequeno, puxava pela mão um ridículo cão perdigueiro. Ao invés da atitude zombeteira[10] que assumi ante[11] aquela figura[12] grotesca, Artur ficou completamente transtornado :

— Esse homem trouxe os quadradinhos, mas não tardará a desaparecer.

Não foram poucos os que se impressionaram com o procedimento do solteirão. Os seus hábitos estranhos deixavam perplexos os moradores da rua. Nunca era visto saindo de casa e, diariamente, às cinco horas da tarde, com absoluta pontualidade, aparecia no alpendre, acompanhado pelo cachorro. Sem se separar do boné que, possivelmente, escondia uma calvície adiantada, tirava baforadas do cachimbo e se recolhia novamente. O tempo restante conservava-se invisível.

---

1. **ao sabor de** = *suivant, au gré de*. O sabor = *la saveur*. Tous les mots terminés par or sont masculins en portugais sauf a **cor** *(la couleur)*, a **dor** *(la douleur)*, a **flor** *(la fleur)*.
2. **revezar-se** (< a **vez** = *la fois*) = *se succéder alternativement*.
3. **cinzento**, adjectif < a **cinza** = *la cendre* ; o **cinzeiro** = *le cendrier*.
4. **quadradinhos** < **quadrado** + **inho** (suffixe diminutif). Uma história aos quadradinhos = uma banda desenhada = une bande dessinée (au Portugal). On dit au Brésil, uma história em quadrinhos.
5. **substituírem-se**. Remarquez l'accent aigu sur le i, qui évite la formation d'une diphtongue.
6. **rápidos, lépidos,** adjectifs à sens adverbial. Voir aussi **contestava enérgico** (paragraphe précédent). Cet emploi est très courant en portugais.

Mon frère Artur, toujours suivant sa sensibilité exagérée, contestait énergiquement mes conclusions.

Nerveux, il affirmait que les maisons commençaient à trembler et il me montrait le ciel où alternaient le blanc et le gris. (Des points blancs, des points gris, de parfaits petits carrés de ces deux couleurs, qui se succédaient rapidement, vivement, en sautillant.)

Cette fois-là, la manie de la contradiction m'avait conduit à une erreur grossière, car avant la fin de la semaine le nouveau voisin arrivait. Une casquette écossaise (gris et blanc) recouvrait sa tête et, entre ses dents noircies, il tenait une pipe courbe. Les yeux caves, ses vêtements flottant sur son corps squelettique et de petite taille, il tirait à la main un ridicule chien d'arrêt. A l'inverse de l'attitude moqueuse que je pris devant ce personnage grotesque, Artur fut profondément troublé :

— Cet homme a apporté les petits carrés, mais il ne tardera pas à disparaître.

Nombreux sont ceux qui furent frappés par la conduite du vieux garçon. Ses habitudes étranges laissaient perplexes les habitants de la rue. On ne le voyait jamais sortir de chez lui et, tous les jours, à cinq heures de l'après-midi, avec la plus parfaite ponctualité, il apparaissait sous la véranda, suivi de son chien. Sans se séparer de sa casquette qui, sans doute, cachait une calvitie avancée, il tirait quelques bouffées de sa pipe puis de nouveau rentrait chez lui. Le reste du temps il demeurait invisible.

---

7. **antes de decorrida uma semana**. Remarquez la construction : participe passé + nom (sujet du verbe), alors que l'ordre inverse s'impose en français ; mot à mot = *avant d'(être) écoulée une semaine.*

8. **o xadrez** = *l'écossais* (tissu) ; aussi *les échecs* (jeu) ; populaire = **a prisão** (le « violon »).

9. **sobrando** < v. **sobrar** = *être de trop.* As sobras (= os restos) = *les restes.*

10. **zombeteira** = *trocista* (m. et f.)

11. **ante** = perante = *devant* (abstrait) ; au sens concret diante de ; diante da casa : *devant la maison.*

12. **a figura** = faux ami, *la silhouette ; la figure* = **a cara.**

Artur passava o dia espreitando-o, animado por uma tola esperança de vê-lo surgir antes da hora predeterminada. Não esmorecia, vendo burlados os seus propósitos[1]. A sua excitação crescia à medida que se aproximava o momento de defrontar-se com o solitário inquilino do prédio vizinho. Quando os seus olhos o divisavam[2], abandonava-se a uma alegria despropositada[3] :

— Olha, Roderico, ele está mais magro[4] do que ontem !

Eu me agastava e lhe dizia que não me aborrecesse[5], nem se ocupasse[5] tanto com a vida dos outros.

Fazia-se de desentendido[6] e, no dia seguinte, encontrava-o novamente no seu posto, a repetir-me que o homem continuava definhando.

— Impossível, eu retrucava, o diabo do[7] magrela[8] não tem mais como emagrecer !

— Pois está emagrecendo.

Ainda encontrava-me na cama, quando Artur entrou no meu quarto sacudindo os braços, gritando :

— Chama-se Anatólio !

Respondi irritado, refreando a custo um palavrão :

— Chamasse[9] Nabucodonosor !

Repentinamente emudeceu. Da janela, surpreso e quieto, fez um gesto para que eu me aproximasse. Em frente ao antigo hotel acabara[10] de parar um automóvel e dele desceu uma bonita moça[11]. Ela mesma retirou a bagagem[12] do carro. Com uma chave, que trazia na bolsa, abriu a porta da casa, sem que ninguém aparecesse para recebê-la.

---

1. **burlados os seus propósitos**. Remarquez la construction de la proposition participe : participe passé + sujet (voir aussi note 7, p. 123). **Burlados** < **burlar** qui a ici le sens de contrarier = *contrarier*. **Burlar** peut aussi avoir le sens de enganar = *tromper*.

2. **divisam**, 3ᵉ personne du pluriel du présent de l'indicatif de divisar (faux ami) = **ver** = *voir, distinguer*, alors que *diviser* = *dividir*.

3. **despropositada** = fora de propósitos.

4. **está magro.** Le verbe **estar** souligne l'état passager. On peut dire é magro, mais il s'agit d'un trait permanent.

5. **dizia que não me aboreecesse.** Le verbe **dizer** indiquant ici un ordre, on trouve le subjonctif dans la subordonnée ; il est à l'imparfait à cause de la concordance des temps.

6. **fazia-se de desentendido** = mot à mot *il faisait celui qui ne*

Artur passait sa journée à le guetter, animé par le fol espoir de le voir surgir avant l'heure prédéterminée. Il ne se décourageait pas, en voyant ses projets contrecarrés. Son excitation augmentait au fur et à mesure qu'approchait l'instant où il se trouverait face au locataire solitaire de l'immeuble voisin. Lorsque ses yeux le distinguaient, il se laissait aller à une allégresse excessive :

— Regarde, Roderico, il est plus maigre qu'hier !

Je me fâchais et lui disais de ne pas m'ennuyer et de ne pas se mêler à ce point de la vie des autres.

Il faisait la sourde oreille et, le lendemain, je le retrouvais à son poste et il me répétait que le petit homme se consumait toujours.

— Ce n'est pas possible, objectais-je, ce diable de maigrichon ne peut pas maigrir davantage !

— Pourtant il maigrit toujours.

Je me trouvais encore au lit, lorsque Artur entra dans ma chambre en agitant les bras, s'écriant :

— Il s'appelle Anatólio !

En colère, retenant à peine un juron, je répondis ·

— Il peut même s'appeler Nabuchodonosor !

Soudain il se tut. De la fenêtre, surpris et immobile, il fit un geste pour que je vienne voir. En face de l'ancien hôtel, une automobile s'était arrêtée depuis peu et une belle jeune fille en descendit. Elle retira elle-même ses bagages de la voiture. Avec une clef qu'elle avait dans son sac, elle ouvrit la porte de la maison, sans que personne n'apparût pour la recevoir.

---

comprenait pas ; **fazer-se de** = *faire le, feindre.*

7. **o diabo do**, voir note 14, p. 13.

8. **magrela**, diminutif péjoratif de **magro** *(maigre)* = **magriço, magriça.**

9. **chamasse Nabucodonosor**, subjonctif imparfait, qui a la valeur de *quand bien même.*

10. **acabara de** = tinho acabado, plus-que-parfait de l'indicatif de **acabar de** = *venir de.*

11. **a moça** (B.) = **a rapariga** (P.). Attention, ce mot existe aussi au Brésil avec le sens péjoratif de « fille de mauvaise vie ».

12. **a bagagem**, collectif = *les bagages.* Les mots terminés par **gem** sont toujours du féminin en portugais. **Personagem** *(personnage)* est soit féminin, soit masculin.

Impelido pela curiosidade, meu irmão não me dava folga[1] :

— Por que ela não apareceu antes ? Ele não é solteiro ?

— Ora[2], que importância tem uma jovem residir com um celibatário ?

Por mais que me desdobrasse[3], procurando afastá-lo da obsessão, Artur arranjava outros motivos para inquietar-se. Agora era a moça que se ocultava, não dava sinal[4] da sua permanência na casa. Ele, porém, se recusava a aceitar a hipótese de que ela tivesse ido embora e se negava[5] discutir o problema comigo :

— Curioso, o homem se definha e é a mulher que desaparece !

Três meses mais tarde, de novo abriu-se a porta do casarão[6] para dar passagem à moça. Sozinha, como viera, carregou as malas consigo[7].

— Por que segue a pé[8] ? Será[9] que o miserável[10] lhe negou dinheiro para o táxi ?

Com a partida da jovem, Artur retornou ao primitivo interesse pelo magro Anatólio. E, rangendo os dentes, repetia :

— Continua emagrecendo.

Por outro lado, a confiança que antes eu depositava nos meus nervos decrescia[11], cedendo lugar a uma permanente ansiedade. Não tanto pelo magricela, que pouco me importava, mas por causa do mano[12], cujas preocupações cavavam-lhe a face[13], afundavam-lhe os olhos. Para lhe provar que nada havia[14] de anormal no solteirão, passei a vigiar o nosso enigmático vizinho.

---

1. **a folga** = *la relâche, le repos, le congé* ; um dia folgado = *un jour de repos.*

2. **ora**, conjonction *or*, donc employé ici comme interjection = *ça, ça alors* ; ora essa = *ça, par exemple.* ora...ora = *tantôt...tantôt* ; por ora = *pour le moment.*

3. **por mais que me desdobrasse** : l'expression por mais que *(avoir beau* + infinitif*)* est toujours suivie du subjonctif en portugais (attention à la concordance des temps) ; **desdobrar uma coisa** = *dédoubler quelque chose.*

4. **o sinal** désigne aussi *les feux de la circulation* ; *le feu rouge* = o sinal vermelho (Portugal) et o sinal fechado (Brésil) ; le mot **signo** *(signe)* est un mot savant utilisé, par exemple en linguistique, en mathématiques.

5. **se negava discutir**, on trouve plus fréquemment **negar-se a** + infinitif.

Poussé par la curiosité, mon frère ne me laissait pas un instant de répit

— Pourquoi n'est-elle pas venue avant ? N'est-il pas célibataire ?

— Et alors, quelle importance cela a-t-il qu'une jeune fille habite avec un célibataire ?

J'avais beau m'efforcer d'essayer de le soustraire à son obsession, Artur découvrait d'autres motifs d'inquiétude. Maintenant c'était la jeune fille qui se cachait, elle ne donnait aucun signe de sa présence dans la maison. Lui, pourtant, s'interdisait d'accepter l'hypothèse de son départ et se refusait à aborder le problème avec moi

— C'est curieux, l'homme se consume et c'est la femme qui disparaît !

Trois mois plus tard, de nouveau la porte de la grande bâtisse s'ouvrit pour laisser passer la jeune fille. Toute seule, comme elle était venue, elle emporta ses valises avec elle.

— Pourquoi part-elle à pied ? Est-ce que par hasard ce misérable lui a refusé l'argent du taxi ?

Avec le départ de la demoiselle, Artur en revint à son intérêt premier pour le maigre Anatólio. Et, en grinçant des dents, il répétait

— Il maigrit toujours.

Par ailleurs, la confiance que j'avais auparavant placée dans mes nerfs baissait, faisant place à une anxiété permanente. Non pas à cause du maigrichon, qui m'importait peu, mais à cause de mon frère dont les soucis tiraient le visage et creusaient les orbites. Pour lui prouver qu'il n'y avait rien d'anormal chez le vieux garçon, je me mis à surveiller notre énigmatique voisin.

---

6. **o casarão**, augmentatif de casa = *maison*.
7. **consigo** = com ela.
8. **a pé** = *à pied*; de pé ou em pé = *debout*.
9. **Será**. Remarquez la valeur hypothétique du futur.
10. **miserável** peut aussi avoir le sens de *avare*.
11. **decrescia** = diminuía.
12. **mano**, forme familière de irmão *(frère)*.
13. **a face** = *la face*, mais surtout *le visage, la joue*.
14. **nada havia de anormal** = não havia nada de anormal.

Surgia à hora marcada. O olhar vago, o boné enterrado na cabeça, às vezes mostrava um sorriso escarninho[1].

Eu não tirava os olhos do homem. Sua magreza me fascinava. Contudo[2], foi Artur que me chamou a atenção para um detalhe :

— Ele está ficando transparente.

Assustei-me. Através do corpo do homenzinho[3] viam-se objetos que estavam no interior da casa : jarras de flores, livros, misturados com intestinos e rins[4]. O coração parecia estar dependurado[5] na maçaneta da porta, cerrada[6] somente de um dos lados.

Também Artur emagrecia e, nem por isso[7], fiquei apreensivo. Anatólio tornara-se a minha única preocupação. As suas carnes se desfaziam rapidamente, enquanto meu irmão bufava, pleno de gozo :

— Olha ! de tão magro[8], só tem perfil. Amanhã desaparecerá.

Às cinco horas da tarde do dia seguinte, o solteirão apareceu na varanda, arrastando-se com dificuldade. Nada mais tendo para emagrecer, seu crânio havia diminuído e o boné, folgado[9] na cabeça, escorregara até os olhos. O vento fazia com que[10] o corpo dobrasse sobre si mesmo. Teve um espasmo e lançou um jato[11] de fogo, que varreu[12] a rua. Artur, excitado, não perdia o lance[13], enquanto[14] eu, recuava atemorizado.

Por instantes, Anatólio se encolheu para, depois, tornar a vomitar. Menos que da primeira vez. Em seguida, cuspiu.

---

1. **escarninho** = zombeteiro, trocista. V. escarnecer = *se moquer de.*
2. **contudo** = porém, no entanto, todavia.
3. **o homenzinho** (o homem + suffixe diminutif zinho que l'on trouve après les voyelles accentuées, les voyelles nasales, les diphtongues et les consonnes). Remarquez le changement de m en n devant le suffixe, comme d'ailleurs devant le s du pluriel (os homens).
4. **os rins,** pl. de o rim = *le rein, le rognon.*
5. **dependurado** = pendurado.
6. **cerrada** = fechada (plus usuel).
7. **nem por isso** = nem por essa razão. Ne confondez pas avec l'expression idiomatique qui a le sens : nem tanto como se afirma, não muito. Ex. : Gostou do filme ? Nem por isso. = *Avez-vous aimé ce film ? Pas tellement.*

Il apparaissait à l'heure dite. Le regard vague, la casquette enfoncée sur la tête, il montrait parfois un sourire narquois.

Je ne quittais pas l'homme des yeux. Sa maigreur me fascinait. Pourtant, ce fut Artur qui attira mon attention sur un détail :

— Il devient transparent.

Je pris peur. Au travers du corps du petit homme, on voyait des objets qui étaient à l'intérieur de la maison : des vases de fleurs, des livres, mélangés aux intestins et aux reins. Le cœur semblait être suspendu à la poignée de la porte fermée d'un côté.

Artur maigrissait lui aussi et ce n'est pas pour autant que je me fis du souci. Anatólio était devenu mon unique préoccupation. Sa chair fondait rapidement tandis que mon frère exultait, débordant de joie :

— Regarde ! Sa maigreur est telle qu'il est réduit à un profil. Demain il disparaîtra.

A cinq heures de l'après-midi le lendemain, le vieux garçon apparut sur la terrasse, se traînant avec difficulté. Comme rien d'autre ne pouvait maigrir, son crâne avait diminué et sa casquette, trop large pour sa tête, avait glissé jusqu'aux yeux. Le vent faisait que son corps se repliait sur lui-même. Il eut un spasme et lança un jet de flammes qui balaya la rue. Artur, excité, ne perdait rien de cette affaire, alors que je reculais, moi, effrayé.

Pendant quelques instants, Anatólio se recroquevilla pour ensuite se remettre à vomir. Moins que la première fois. Puis il cracha.

---

8. **de tão magro**. Remarquez la construction **de**+**tão**+ adjectif = mot à mot *de si maigre (à force de maigreur)*.
9. **folgado** (participe passé de **folgar**) = largo = *large* (note 1, p. 126).
10. **fazia com que** < **fazer com que** + subjonctif.
11. **o jato** a aussi le sens de *jet* (avion) au Brésil. A jato = *à toute allure* (s'écrit au Portugal, o jacto).
12. **varreu** < v. **varrer** ; a vassoura = *le balai*.
13. **o lance** = o acontecimento *(l'événement)*.
14. **enquanto** = ao passo que.

No fim, já ansiado, deixou escorrer uma baba incandescente pelo tórax abaixo[1] e incendiou-se. Restou a cabeça, coberta pelo boné. O cachimbo se apagava no chão.

— Não falei ! gritava Artur, exultante.

A sua voz foi ficando fina, longínqua. Olhando para o lugar onde ele se encontrava, vi que seu corpo diminuíra[2] espantosamente. Ficara reduzido a alguns centímetros e, numa vozinha quase imperceptível, murmurava :

— Não falei, não falei.

Peguei-o com as pontas dos dedos antes que desaparecesse completamente. Retive-o por instantes. Logo se transformou numa bolinha negra, a rolar[3] na minha mão.

---

1. **pelo tórax abaixo**, voir note 3, p. 58.
2. **diminuíra**, voir note 5, p. 122.
3. **a rolar** = rolando.

A la fin, pris de nausées déjà, il laissa couler une bave incandescente le long de son thorax et il prit feu. La tête resta, recouverte par la casquette. La pipe s'éteignait sur le sol.

— Je l'avais bien dit, criait Artur, jubilant.

Peu à peu sa voix devint ténue, lointaine. Regardant à l'endroit où il se trouvait, je vis que son corps avait diminué de façon épouvantable. Il n'avait plus que quelques centimètres et, d'une petite voix presque imperceptible, il murmurait :

— Je l'avais bien dit, je l'avais bien dit.

Je le pris du bout des doigts avant qu'il ne disparût complètement. Je le retins pendant quelques instants. Il se transforma aussitôt en une petite boule noire qui roulait dans ma main.

Révisions

Vous avez rencontré dans le conte que vous venez de lire l'équivalent des expressions suivantes.

Vous en souvenez-vous ?

1. En se donnant la main.
2. Elle était en train de s'écrouler.
3. Nombreux sont ceux qui furent frappés.
4. Il passait sa journée à le guetter.
5. Il faisait la sourde oreille.
6. Il ne me laissait pas un instant de répit.
7. J'avais beau m'efforcer.
8. Elle ne donnait aucun signe de sa présence dans la maison.
9. En grinçant des dents.
10. Ce fut lui qui attira mon attention.
11. Ce n'est pas pour autant que je me fis du souci.
12. Sa maigreur est telle qu'il est réduit à un profil.
13. Je l'avais bien dit.

1. De mãos dadas.
2. Estava caindo aos pedaços.
3. Não foram poucos os que se impressionaram.
4. Passava o dia espreitando-o.
5. Fazia-se de desentendido.
6. Ele não me dava folga.
7. Por mais que me desdobrasse.
8. Ela não dava sinal da sua permanência em casa.
9. Rangendo os dentes.
10. Foi ele que me chamou a atenção.
11. Nem por isso fiquei apreensivo.
12. De tão magro, só tem perfil.
13. Não falei !

Fernando SABINO

O homem nu

L'homme nu

Fernando Sabino est né en 1923 à Belo Horizonte (Minas Gerais). Il se consacre à la nouvelle, au roman, *O Encontro Marcado* (1956), *O Grande Mentecapto* (1979), au conte et à la chronique, *A Mulher do Vizinho* (1962), *A Falta que ele me faz* (1980), etc. C'est la vie quotidienne de la classe moyenne en milieu urbain qui apparaît sous sa plume. Nous en avons un échantillon burlesque dans « O Homem Nu » extrait du recueil du même nom (1960), au titre plus ironique qu'érotique.

Ao acordar[1], disse para a mulher :

— Escuta, minha filha : hoje é dia de pagar a prestação[2] da televisão, vem aí o sujeito[3] com a conta[4], na certa. Mas acontece que ontem eu não trouxe dinheiro da cidade, estou a nenhum[5].

— Explique isso ao homem — ponderou a mulher.

— Não gosto dessas coisas. Dá um ar de vigarice[6], gosto de cumprir rigorosamente as minhas obrigações. Escuta : quando ele vier a gente[7] fica[8] quieto[9] dentro, não faz barulho, para ele pensar[10] que não tem[11] ninguém. Deixa ele bater[12] até cansar — amanhã eu pago.

Pouco depois, tendo despido[13] o pijama, dirigiu-se ao banheiro[14] para tomar um banho[15], mas a mulher já se trancara lá dentro. Enquanto esperava, resolveu fazer um café. Pôs a água a ferver e abriu a porta de serviço para apanhar o pão. Como estivesse completamente nu, olhou com cautela para um lado e para outro antes de arriscar-se a dar dois passos até o embrulhinho deixado pelo padeiro sobre o mármore do parapeito. Ainda era muito cedo, não poderia aparecer ninguém. Mal[16] seus dedos, porém, tocavam o pão, a porta atrás de si fechou-se com estrondo, impulsionada pelo vento.

---

1. **Ao acordar.** Remarquez la construction **Ao** + inf. pour traduire la simultanéité de deux actions faites par le même sujet. Ao entrar ouviu barulho = *en entrant, il entendit du bruit.*

2. **a prestação** = *la traite.* Comprar a prestações (P./B.) ou comprar a prestação (B.) = *acheter à tempérament.*

3. **o sujeito** = o indivíduo (péjoratif).

4. **a conta** a aussi le sens de *addition, facture, compte.* Fazer as contas = *faire les comptes.*

5. **estou a nenhum.** Remarquez l'expression idiomatique estou sem um tostão (m. à m. *je suis sans le sou*).

6. **o vigarista** = *l'escroc.* O conto do vigário = *l'escroquerie.*

7. **a gente,** façon de traduire le on lorsque la personne qui s'exprime est incluse dans le sujet (familier).

8. **ficar,** remarquez le présent à valeur de futur.

9. **quieto,** adj. masc., se rapporte au sujet a gente, considéré comme un indéfini. C'est pourquoi **quieto** n'a pas pris la marque du féminin.

En se réveillant, il dit à sa femme :

— Écoute-moi, fifille : c'est aujourd'hui qu'il faut payer la traite de la télévision, le gars va venir avec le papier, c'est certain. Mais il se trouve qu'hier je suis revenu de la ville sans argent, je suis à sec.

— Explique ça à cet homme, objecta sa femme.

— Je n'aime pas cela. Cela fait un peu escroquerie, j'aime respecter rigoureusement mes obligations. Écoute : quand il viendra on restera immobiles ici, on ne fera pas de bruit pour qu'il pense qu'il n'y a personne. Laisse-le frapper jusqu'à ce qu'il se fatigue ; demain je payerai.

Peu après, ayant ôté son pyjama, il se dirigea vers la salle de bains pour prendre une douche, mais sa femme s'y était déjà enfermée. Pendant qu'il attendait, il décida de se faire un café. Il mit l'eau à bouillir et ouvrit la porte de service pour prendre le pain. Comme il était complètement nu, il regarda avec précaution d'un côté et de l'autre avant de se risquer à faire deux pas jusqu'au petit paquet laissé par le boulanger sur le marbre du parapet. Il était encore très tôt, il n'était pas possible que quelqu'un vienne. Pourtant, à peine ses doigts touchaient-ils le pain, que la porte derrière lui se ferma avec fracas, poussée par le vent.

---

10. **para ele pensar** (inf. personnel) = **para que ele pense.**
11. **tem** = **há.**
12. **deixa ele bater,** forme de langage parlé pour **deixe-o bater.**
13. **despido** < participe passé du v. **despir** = tirar (o pijama) ; despir-se = *se déshabiller.*
14. **o banheiro** = la salle de bains (B.). Au Portugal on dit a **casa de banho** ou **o quarto de banho** ; o **banheiro** devient alors *le maître nageur* (o **salva-vidas** au Brésil).
15. **tomar um banho** = *prendre une douche* (contexte brésilien où la baignoire (a **banheira**) est peu répandue).
16. **mal** + verbe = *à peine* (mal... **tocavam**). Ne pas confondre avec **apenas** = *ne... que.*

Aterrorizado, precipitou-se até a campainha e, depois de tocá-la, ficou à espera, olhando ansiosamente ao redor. Ouviu lá dentro o ruído da água do chuveiro interromper-se de súbito, mas ninguém veio abrir. Na certa[1] a mulher pensava que já era o sujeito da televisão. Bateu com o nó dos dedos[2] :

— Maria ! Abre aí, Maria. Sou eu — chamou, em voz baixa.

Quanto mais batia, mais[3] silêncio fazia lá dentro.

Enquanto isso, ouvia lá embaixo a porta do elevador fechar-se, viu o ponteiro[4] subir lentamente os andares... Desta vez, era o homem da televisão !

Não era[5]. Refugiado no lanço de escada entre os andares, esperou que o elevador passasse, e voltou para a porta de seu apartamento, sempre a segurar nas mãos nervosas o embrulho do pão :

— Maria, por favor ! Sou eu[6] !

Desta vez não teve tempo de insistir : ouviu passos na escada, lentos, regulares, vindos[7] lá de baixo... Tomado de pânico, olhou ao redor, fazendo uma pirueta, e assim despido, embrulho na mão, parecia executar um ballet grotesco e mal ensaiado[8]. Os passos na escada se aproximavam, e ele sem onde se esconder[9]. Correu para o elevador, apertou o botão[10]. Foi o tempo de abrir a porta e entrar, e a empregada passava, vagarosa, encetando[11] a subida de mais um lanço de escada. Ele respirou aliviado, enxugando o suor da testa[12] com o embrulho do pão. Mas eis que a porta interna do elevador se fecha e ele começa a descer.

---

1. **na certa** = certamente.
2. **o nó dos dedos** = *l'articulation des phalanges des doigts*, donc *le poing* (o punho) ; o nó signifie aussi *le nœud*.
3. **quanto mais... mais.** Remarquez la construction *plus... plus.* On dira de même **quanto menos... menos.** Ex. : **quanto menos trabalhava... menos...** : *moins il travaille moins il...* Toutes les combinaisons sont possibles : **quanto mais... menos...** ; **quanto menos... mais...**
4. **o ponteiro**, à chaque étage se trouve un cadran où une *aiguille* (ponteiro) indique la position de l'ascenseur dans l'immeuble.
5. **não era**. Remarquez que l'on reprend toujours le verbe qui a servi à poser une question, à émettre un doute... dans la réponse.
6. **sou eu** = *c'est moi*. Attention : **somos nós**, *c'est nous*, etc.

Terrifié, il se précipita jusqu'à la sonnette et après avoir pressé le bouton, il attendit, regardant avec anxiété autour de lui. Il entendit à l'intérieur le bruit de l'eau de la douche qui s'arrêtait subitement, mais personne ne vint ouvrir. Certainement sa femme pensait que c'était déjà le type de la télévision. Il frappa de son poing :

— Marie ! Ouvre donc, Marie. C'est moi, appela-t-il à voix basse.

Plus il frappait, plus le silence était pesant à l'intérieur.

Pendant tout cela, il entendait là en bas la porte de l'ascenseur qui se fermait, il vit l'aiguille qui montait lentement les étages... Cette fois, c'était l'homme de la télévision !

Non. Réfugié sur la volée de marches entre les étages, il attendit que l'ascenseur passât, et revint vers la porte de son appartement, tenant nerveusement dans ses mains le pain empaqueté :

— Marie, s'il te plaît ! C'est moi !

Cette fois il n'eut pas le temps d'insister : il entendit des pas dans l'escalier, lents, réguliers, qui venaient d'en bas... Pris de panique, il regarda autour de lui, faisant une pirouette, et ainsi dévêtu, son paquet à la main, il semblait exécuter un ballet grotesque pour lequel il s'était mal exercé. Les pas dans l'escalier se rapprochaient et lui ne savait où se cacher. Il courut vers l'ascenseur, appuya sur le bouton. Il n'eut que le temps d'ouvrir la porte et d'entrer, et déjà la bonne passait, lentement, et entamait l'ascension d'une autre volée de marches. Il respira, soulagé, essuyant la sueur de son front avec le pain empaqueté. Mais voilà que la porte intérieure de l'ascenseur se ferme et il commence à descendre.

---

7. **vindos**. Remarquez que **vindo** est à la fois le participe passé et le participe présent du verbe ir. Ex. : **Ele tem vindo várias vezes...** *il est souvent venu* ; **estão vindo** = *ils viennent*.

8. **ensaiado** < **ensaiar** = *répéter* (une pièce) ; **o ensaio** = *la répétition*. Dans les autres cas : **repetir** = *répéter*.

9. **esconder**. Remarquez que le français ne peut être aussi elliptique que le portugais ; on doit employer le verbe (e ele sem saber ou sem ter onde se esconder).

10. **apertou o botão** < 3e personne du sing. du prétérit de **apertar**. Ce verbe a aussi le sens de *serrer*. Apertar o cinto = *serrer sa ceinture*.

11. **encetado** < v. **encetar** = *entamer*. Ex. : encetar um bolo = *entamer un gâteau*.

12. **a testa** = *le front*; *la tête* = a cabeça.

— Ah, isso é que não ! — fez[1] o homem nu, sobressaltado.

E agora ? Alguém lá embaixo abriria a porta do elevador e daria com[2] ele ali, em pêlo[3], podia mesmo ser[4] algum vizinho conhecido... Percebeu, desorientado, que estava sendo levado cada vez para mais longe de seu apartamento, começava a viver um verdadeiro pesadelo de Kafka, instaurava-se naquele momento o mais autêntico e desvairado Regime do Terror !

— Isso é que não[5], repetiu, furioso.

Agarrou-se à porta do elevador e abriu-a com força entre os andares, obrigando-o a parar. Respirou fundo, fechando os olhos, para ter a momentânea ilusão de que sonhava. Depois experimentou[6] apertar o botão do seu andar. Lá embaixo continuavam a chamar o elevador. Antes de mais nada : « Emergência[7] : parar. » Muito bem. E agora ? Iria[8] subir ou descer ? Com cautela[9] desligou[10] a parada de emergência, largou a porta, enquanto insistia em fazer o elevador subir. O elevador subiu.

— Maria ! Abre esta porta ! — gritava, desta vez esmurrando[11] a porta, já sem nenhuma cautela. Ouviu que outra porta se abria atrás de si[12]. Voltou-se, acuado, apoiando o traseiro no batente e tentando inutilmente cobrir-se com o embrulho do pão. Era a velha[13] do apartamento vizinho :

— Bom dia, minha senhora — disse ele, confuso —. Imagine que eu...

A velha, estarrecida, atirou os braços para cima, soltou um grito :

---

1. **fez** < 3e pers. du sing. du prétérit du v. **fazer** = dizer, ici.
2. **daria com alguém**, conditionnel de **dar** = *tomber sur quelqu'un.*
3. **pêlo.** Remarquez l'accent circonflexe, pour éviter la confusion avec pelo (por + o = *par le*).
4. **podia mesmo ser** = podia até ser.
5. **isso é que não.** Remarquez l'insistance exprimée par la formule invariable **é que**.
6. **experimento apertar** = tentou apertar. Notez l'absence de préposition après **experimentar** et **tentar**.
7. **a emergência** = *l'urgence*; a saída de emergência = *la sortie de secours.*
8. **iria subir ou descer** : conditionnel de **ir** *(aller)* qui indique une éventualité dans le passé (imparfait de l'indicatif en français).

— Ah non pas ça ! dit l'homme nu, dans un sursaut.

Et maintenant ? Quelqu'un en bas allait ouvrir la porte de l'ascenseur et le trouverait là, à poil, cela pouvait même être quelque voisin de connaissance... Il se rendit compte, désorienté, qu'il était emporté de plus en plus loin de son appartement, il commençait à vivre un véritable cauchemar kafkaïen ; à cet instant s'instaurait le plus authentique et le plus insensé régime de terreur !

— Pas ça, répéta-t-il, furieux.

Il s'accrocha à la porte de l'ascenseur et l'ouvrit avec force entre les étages, l'obligeant à s'arrêter. Il respira profondément, fermant les yeux, pour avoir momentanément l'illusion d'être en train de rêver. Ensuite il essaya d'appuyer sur le bouton de son étage. En bas ils appelaient toujours l'ascenseur. Avant toute chose : « Arrêt d'urgence ». Très bien. Et maintenant ? Allait-il monter ou descendre ? Avec précaution, il réenclencha le bouton arrêt d'urgence, lâcha la porte, tout en essayant avec insistance de faire monter l'ascenseur. L'ascenseur monta.

— Marie ! Ouvre cette porte ! criait-il, donnant cette fois de grands coups de poing, alors sans précaution aucune. Il entendit qu'une autre porte s'ouvrait derrière lui. Il se retourna, acculé, appuyant son postérieur contre le battant et essayant inutilement de se couvrir avec le pain empaqueté. C'était la vieille dame de l'appartement voisin :

— Bonjour, madame, dit-il, gêné. Figurez-vous que je...

La vieille femme, épouvantée, leva les bras au ciel, lança un cri :

---

9. **a cautela** = *la précaution* ; ce mot est aussi au Portugal *un dixième de loterie nationale.*
10. **desligou** < v. **desligar.** Ce verbe a aussi le sens de *débrancher.* Son contraire, **ligar**, peut signifier *brancher* ou *faire attention à.* Ex. : Ligar a televisão = *brancher la TV.* Ligar a alguém = *faire attention à qqun.* Ligar para alguém = **fazer um ligação** = telefonar, d'où **uma ligação** = *un coup de téléphone.*
11. **esmurrando,** gérondif du v. **esmurrar** = dar murros ; o murro = *le coup de poing.*
12. **atrás de si** = atrás dele.
13. Le portugais « a velha » n'est pas aussi péjoratif que le français *« la vieille »* ; il faut donc atténuer en employant « la vieille dame ».

— Valha[1]-me Deus ! O padeiro está nu !

E correu ao telefone para chamar a radiopatrulha :

— Tem um homem pelado[2] aqui na porta !

Outros vizinhos, ouvindo a gritaria[3], vieram ver o que se passava :

— É um tarado !

— Olha, que horror !

— Não olha não ! Já pra dentro, minha filha !

Maria, a esposa do infeliz, abriu finalmente a porta para ver o que era. Ele entrou como um foguete[4] e vestiu-se precipitadamente, sem nem se lembrar do banho. Poucos minutos depois, restabelecida a calma lá fora, bateram na porta.

— Deve ser a polícia — disse ele, ainda ofegante, indo abrir.

Não era : era o cobrador[5] da televisão.

---

1. **valer** = *secourir, venir en aide.*
2. **pelado**, mot familier = nu ; pelar = *peler.*
3. **a gritaria**, mot collectif = os gritos.
4. **o foguete** = *la fusée.*
5. **o cobrador** = *le receveur, l'encaisseur* ; cobrar = *encaisser.*

— Mon Dieu, protégez-moi ! Le boulanger est tout nu !

Et elle se précipita sur le téléphone pour appeler Police-se-cours :

— Il y a un homme dans le plus simple appareil à la porte !

D'autres voisins, entendant les cris vinrent voir ce qui se passait :

— C'est un maniaque !

— Regarde, quelle horreur !

— Non, ne regarde pas ! Rentre tout de suite, ma petite fille !

Marie, l'épouse du malheureux, ouvrit enfin la porte pour voir ce que c'était. Il entra comme une flèche et s'habilla précipitamment, sans même se souvenir de la douche. Quelques minutes plus tard, alors qu'à l'extérieur le calme était revenu, on frappa à la porte.

— Ce doit être la police, dit-il, encore essoufflé, allant ouvrir.

Non : c'était pour l'encaissement de la traite.

Révisions

Vous avez rencontré dans le conte que vous venez de lire l'équivalent des expressions françaises suivantes.

Vous en souvenez-vous ?

1. Je suis à sec.
2. Pendant qu'il attendait, il décida de se faire un café.
3. A peine touchait-il le pain que la porte se ferma.
4. Plus il frappait, plus le silence était pesant à l'intérieur.
5. Mais voilà que la porte se ferme.
6. Ah non, pas ça !
7. Avant toute chose.
8. Figurez-vous que...
9. Alors qu'à l'extérieur le calme était revenu, on frappa à la porte.

1. Estou a nenhum.
2. Enquanto esperava, resolveu fazer um café.
3. Mal tocava o pão, a porta fechou-se.
4. Quanto mais batia, mais silêncio fazia lá dentro.
5. Mas eis que a porta se fecha.
6. Isso é que não !
7. Antes de mais nada.
8. Imagine que...
9. Restabelecida a calma lá fora, bateram na porta.

Moacyr SCLIAR

Comendo papel

En mangeant du papier

Moacyr Scliar est né en 1937 à Porto Alegre, Brésil (État du Rio Grande do Sul). Il termine ses études de médecine en 1962, date à laquelle il publie ses premiers livres. Auteur de nouvelles : *A Guerra no Bom Fim* (1972), *O Ciclo das Águas* (1977) et de contes : *O Carnaval dos Animais* (1962), *O Anão no Televisor* (1979), il expose les problèmes de la communauté juive de Porto Alegre et cultive l'ironie et l'absurde dans l'analyse des comportements humains. Un exemple nous est donné par « Comendo Papel », extrait du recueil *A Balada do Falso Messias* (1976).

Trabalho numa companhia de seguros. Certo dia o gerente[1] manda me chamar[2].

— Apresento[3] o Senhor Álvaro, me diz, introduzindo um rapaz magro e de olhar sombrio[4]. Vai trabalhar conosco[5] e quero que tu[6] o orientes.

Disfarçadamente mete[7] um papelzinho[8] em meu bolso. Acompanhando o Senhor Álvaro, atraso-me um pouco e leio o bilhete : « Cuidado. É o filho do Diretor.[9] » Faço do papel uma bolinha e o engulo[10] despreocupadamente. Não é o primeiro.

Mostro ao Senhor Álvaro nossos arquivos.

— Como vê, digo-lhe, seguramos[11] gente importante.

Ele se interessa, anota[12] nomes.

Levo-o à minha sala, onde há um homenzinho gordo[13] sentado.

— Apresento-lhe um cliente que veio fazer seguro de vida...

— Pode deixar comigo[14].

Dirige-se ao homem :

— Muito bem. Então, quer fazer seguro de vida. E quando pretende morrer ?

— Eu..., balbucia o homem confuso.

— Não entendeu a pergunta, grita o Senhor Álvaro.

---

1. **gerente** = *directeur, gérant ;* du verbe **gerir** = *gérer, administrer.*
2. **manda me chamar** = v. **mandar** + infinitif = *faire +* infinitif. Ex. : mandar construir = *faire construire ;* mandar fazer = *faire faire.* Attention : Isso me faz pensar = *cela me fait penser...* (aucun ordre n'est donné).
3. **Apresento** = *je te présente.* Remarquez l'absence du pronom, souvent explétif dans la langue parlée.
4. **sombrio** = *sombre ;* a sombra = *l'ombre.*
5. au Portugal on écrit **connosco.**
6. la 2e personne du singulier est peu employée au Brésil, sauf dans certaines régions comme le Rio Grande do Sul.
7. **meter** = *introduire, mettre ;* pôr = *mettre* (poser sur).
8. diminutif de **papel** (voir note 3, p. 128). On peut trouver aussi **papelinho.**
9. au Portugal on écrit **Director.**

Je travaille dans une compagnie d'assurances. Un jour le gérant me fait appeler.

— Je te présente monsieur Álvaro, me dit-il, faisant entrer un jeune homme maigre et au regard sombre. Il va travailler avec nous et je veux que tu l'orientes.

Subrepticement il fait glisser un petit papier dans ma poche.

En accompagnant M. Álvaro, je m'attarde un peu et lis le billet : « Attention. C'est le fils du directeur. » Je fais une boulette du papier et je l'avale négligemment. Ce n'est pas le premier.

Je montre à M. Álvaro nos archives.

— Comme vous voyez, lui dis-je, nous assurons des gens importants.

Il s'intéresse, note des noms.

Je le conduis jusqu'à mon bureau où un petit homme rondelet est assis.

— Je vous présente un client qui est venu prendre une assurance-vie...

— Je vais m'en occuper.

Il s'adresse à l'homme :

— Très bien. Alors, vous voulez prendre une assurance-vie. Et quand prétendez-vous mourir ?

— Je..., balbutie l'homme, embarrassé.

— Vous n'avez pas compris la question, s'écrie M. Álvaro.

---

10. **engulo** v. **engolir**. Attention à la conjugaison de ce verbe.
11. **seguramos**, v. **segurar** = *assurer ;* o seguro = *l'assu-rance ;* seguro (adj.) = *sûr ;* ne pas confondre avec **segurar** = *tenir ;* **assegurar** = *assurer* (affirmer, certifier).
12. **anota**, v. **anotar** = *noter, prendre note.* Ne pas confondre avec notar = *remarquer.*
13. **gordo** = *gros ;* a gordura = *la graisse.*
14. **pode deixar comigo :** m. à m. *vous pouvez laisser avec moi.*

Quando pretende morrer ?

O homem encolhe-se[1] na cadeira, assustado. O Senhor Álvaro volta-se[2] para mim :

— Não sabe. São uns imbecis[3], em geral. Vou ver se deduzo alguma coisa a partir da causa do óbito. Então, nosso amigo, de que pretende morrer ?

O cliente levanta-se e sai precipitadamente.

— Talvez[4] esta técnica não seja boa, sugiro[5] cautelosamente. Explico alguma coisa acerca de[6] seguros de vida. Um certo grau de otimismo[7] é necessário, digo-lhe. Ele suspira, aparentemente está de acordo.

Ao cliente seguinte informa com satisfação :

— Não há necessidade de se preocupar[8], meu amigo ! Poucas pessoas têm morrido[9] ultimamente.

O cliente me olha e diz que voltará outro dia.

Levo o Senhor Álvaro ao gerente, em cujo bolso introduzo um bilhete : « Impossível ! » Ele engole o papel com facilidade e vai em busca[10] do Diretor. Este aparece em seguida e ordena[11] que o deixemos a sós com o Senhor Álvaro.

Caminhamos de um lado para outro no corredor[12]. Lá dentro ouvem-se exclamações[13] abafadas. Por fim a porta se abre, o Senhor Álvaro aparece e nos encara com expressão irônica :

— Quer dizer que não sirvo[14] ? Muito bem. Mas vocês ainda[15] ouvirão falar de meu trabalho.

---

1. **encolher** a aussi le sens de *rétrécir.*
2. **volta-se para** = v. voltar-se para = virar-se para. Attention voltar = regressar *(revenir).*
3. **imbecis :** sing. **imbecil.** Attention au pluriel de ces mots. Ex. : o fuzil, os fuzis *(les fusils)* mais útil, plur. úteis *(utile),* etc.
4. **talvez.** Lorsque ce mot est en début de phrase, le verbe qui suit est au subjonctif. Ex. : **talvez não seja,** dans le cas contraire, il reste au même temps qu'en français. Ex. : **não é talvez.**
5. **sugiro,** v. **sugerir.** Attention à sa conjugaison.
6. **acerca de** = a respeito de, a propósito de.
7. au Portugal on écrit : optimismo (le p ne se prononce pas).
8. **não há necessidade de se preocupar** = m. à m. *il n'y a pas besoin de se préoccuper.*
9. **têm morrido,** passé composé du verbe **morrer** ; ce temps marque la durée, l'action n'est pas terminée au moment précis alors que **morreu** (prétérit) montre que l'action est révolue.
10. **vai em busca** = vai à procura.

Quand prétendez-vous mourir ?

L'homme se fait tout petit sur sa chaise, effrayé. M. Álvaro se tourne vers moi :

— Il ne sait pas. Ce sont des imbéciles en général. Je vais voir si je peux me faire une idée partant de la cause du décès. Alors, l'ami, de quoi prétendez-vous mourir ?

Le client se lève et sort précipitamment.

— Cette technique n'est peut-être pas la bonne, suggéré-je prudemment. Je donne des explications à propos des assurances-vie. Un certain degré d'optimisme est nécessaire, lui dis-je. Il soupire ; apparemment il est d'accord.

Il renseigne le client suivant avec satisfaction :

— Vous n'avez pas à vous en faire, mon ami ! Peu de gens sont morts dernièrement.

Le client me regarde et dit qu'il reviendra un autre jour.

Je conduis M. Álvaro chez le gérant dans la poche duquel j'introduis un billet : « Impossible ». Il avale le papier avec facilité et part à la recherche du directeur. Ce dernier vient tout de suite et ordonne que nous le laissions seul avec M. Álvaro.

Nous faisons les cent pas dans le couloir. A l'intérieur on entend des exclamations étouffées. Finalement la porte s'ouvre, M. Álvaro apparaît et il nous fixe avec une expression ironique :

— Donc je ne fais pas l'affaire ? Très bien. Mais un jour vous entendrez parler de mon travail.

---

11. **ordena** v. **ordenar** = mandar.
12. m. à m. *nous marchons d'un côté à l'autre dans le couloir.*
13. **ouvem-se exclamações** = exclamações são ouvidas. Remarquez la traduction de *on*.
14. m. à m. *cela veut dire que je ne sers pas ;* sirvo v. **servir**. Attention à sa conjugaison.
15. **aínda** = *encore* ; ici = **algum dia** (+ futur).

Ultimamente a Companhia tem estado[1] à beira da falência[2]. Nossos clientes mais importantes morrem misteriosamente, um depois do outro. Engolimos sem cessar bilhetes do Diretor. O gerente está transtornado[3]. Quanto a mim, acho que tenho uma idéia a respeito da causa destas mortes.

1. voir note 9, p. 146.
2. *faire faillite* = falir, abrir falência.
3. **transtornado** = perturbado.

Dernièrement la compagnie s'est trouvée au bord de la faillite. Nos clients les plus importants meurent mystérieusement, l'un après l'autre. Nous avalons sans cesse des billets du directeur. Le gérant est bouleversé. Quant à moi, je pense avoir mon idée sur la cause de ces morts.

Révisions

Vous avez rencontré dans le conte que vous venez de lire l'équivalent des expressions françaises suivantes.
Vous en souvenez-vous ?

1. Je le conduis jusqu'à mon bureau.
2. Je vais m'en occuper.
3. Il se tourne vers moi.
4. Cette technique n'est peut-être pas la bonne.
5. Vous n'avez pas à vous en faire.
6. Dernièrement peu de gens sont morts.
7. Il part à la recherche du directeur.
8. Il ordonne que nous le laissions seul avec...
9. A l'intérieur on entend des exclamations.
10. Donc, je ne fais pas l'affaire ?
11. Nos clients les plus importants meurent mystérieusement.
12. Quant à moi...

1. Levo-o à minha sala.
2. Pode deixar comigo.
3. Volta-se para mim.
4. Talvez esta técnica não seja boa.
5. Não há necessidade de se preocupar.
6. Ultimamente poucas pessoas têm morrido.
7. Ele vai em busca do diretor.
8. Ele ordena que o deixemos a sós com...
9. Lá dentro ouvem-se exclamações.
10. Quer dizer que não sirvo ?
11. Nossos clientes mais importantes morrem misteriosamente.
12. Quanto a mim...

António TORRADO

A laranja

L'orange

António Torrado est auteur de poèmes et surtout de contes et pièces de théâtre pour enfants. Né à Lisbonne en 1939, il a tout d'abord enseigné la philosophie et dirige actuellement une maison d'édition. *De Vítor ao Xadrez* (1984) d'où est extrait « A Laranja » est un exemple d'humour et de surréalisme.

Veio uma laranja[1] comigo no comboio[2]. À minha frente. Com lugar marcado[3]. E o cheiro a alastrar[4] como um resplendor.

Era a imagem do silêncio. Doce[5]. Olhava-a eu do meu assento[6], exercitando a sedução . Sempre esta suspeita, este secreto[7] desfraldar[8] da aventura, no ondular[8] sussurrante de um comboio efémero.

O revisor :

— O seu bilhete[9] ?

Dei-lho[10]. Esfuracou-o[11] com o alicate lesto. Depois, virando-se[12] para a laranja :

— O seu bilhete ?

Ela, aconchegada no assento, oscilou[13] brevemente um não, e não respondeu.

O revisor fez claque, claque, claque com as castanholas de metal. Mímica óbvia[14]. Neste caso, de nulo efeito[15].

Virou-se para mim o revisor[1], numa inquietação muda. Devolvi-lhe também, mudamente, a interrogação, deixando-o ainda mais apreensivo.

— Pode ser uma laranja estrangeira... — arriscou o revisor.

— Talvez — consenti[16].

— Estará a dormir[17] ?

---

1. **veio uma laranja**. Remarquez que très souvent la phrase portugaise peut se schématiser : verbe + sujet ou verbe + complément + sujet.
2. **comboio** = trem (Brésil).
3. **marcado** = reservado ; marcar hora = *prendre rendez-vous*.
4. **alastrar** = espalhar-se, propagar-se.
5. **doce** ≠ amargo.
6. **assento** = lugar.
7. **secreto** (adjectif) ; o segredo (substantif) = *le secret*.
8. **este... desfraldar.** Emploi très fréquent de l'infinitif substantivé.
9. **o bilhete** = a passagem.
10. **dei-lho**, v. **dar** + **lho,** contraction de lhe (pronom personnel indirect) avec o (pronom personnel complément direct).
11. **esfuracou-o**, prétérit du verbe esfuracar = furar.

Une orange a voyagé avec moi dans le train. Devant moi. Avec une place réservée. Et son odeur de se répandre avec magnificence.

C'était la représentation du silence. Douce. Je la regardais de mon siège exercer sa séduction. Toujours ce soupçon, ce secret déploiement de l'aventure, dans le mouvement ondulant et sussurrant d'un train éphémère.

Le contrôleur :

— Votre billet ?

Je le lui donnai. Il le poinçonna de sa pince alerte. Puis, se tournant vers l'orange :

— Votre billet ?

Elle, blottie sur son siège, oscilla légèrement en signe de négation et ne répondit pas.

Le contrôleur fit clac, clac, clac avec ses castagnettes de métal. Mimique évidente. Dans le cas présent, sans aucun effet.

Le contrôleur se tourna vers moi, dans une inquiétude silencieuse. Je lui rendis, moi aussi, en silence son interrogation, ce qui augmenta encore son appréhension.

— C'est peut-être une orange étrangère..., risqua le contrôleur.

— Peut-être, admis-je.

— Sans doute dort-elle ?

---

12. **virando-se**, verbe **virar-se** = voltar-se. Attention, **virar** = tourner. Ex. : virar à direita, *tourner à droite*.

13. **oscilou**, prétérit du verbe **oscilar** (intransitif) ; ici l'auteur en fait un verbe transitif qui est beaucoup plus imagé.

14. **óbvia,** adj. masc. **óbvio** = evidente (masc. et fém.).

15. **de nulo efeito** = sem nenhum efeito.

16. **consenti**, 1re pers. prétérit du v. **consentir** (attention à sa conjugaison !) = admitir.

17. **estará a dormir**. Remarquez la valeur hypothétique du futur ; la durée est rendue le plus fréquemment par la préposition **a** + infinitif (Portugal) ; au Brésil par un gérondif : **estará dormindo**.

Não estava. O perfume dizia que ela não estava a dormir.

— Então ?

Refugiei-me num encolher[1] de ombros.

— Vou gritar-lhe[2].

E gritou, ríspido.

— Bilhete. Vamos. Bilhete. Bilhete, a ameaçar[3] com o alicate.

O rosado aroma da laranja ondeou[4] pela carruagem numa baforada que comovia.

— Se não me dá o bilhete, tenho de chamar[5] o fiscal. Vamos. Deixe-se de[6] histórias. O bilhete. O bilhete. Chiça[7], o bilhete.

Engolindo a saliva da cólera[8], o revisor desabafou[9] para mim :

— Não posso[10] com estas gajas[11]. São umas soberbas.

Ainda ajuntou[12], de esguelha[13], que se supunha que o comboio andava ao mando dela que se desenganasse[14]. Nem o comboio nem ele, revisor há[15] trinta e dois anos estavam para[16] aturá-la. Ia chamar o fiscal, ai isso ia. Foi.

Fiquei eu de frente para a laranja. A sós. Sufocado pela auréola de perfume que nos inundava, a ela, a mim, à carruagem, ao comboio, balbuciei, em surdina :

— Por que esperas ? Por quem esperas ?

Bocejou e o sopro dela, radioso, ardente, feriu-me os olhos.

— Abafa-se. Nesta carruagem abafa-se, protestei, mas submisso.

---

1. **num encolher,** v. note 8, p. 152.
2. **Vou gritar-lhe,** m. à m. *je vais lui crier.*
3. **a ameaçar** = ameaçando.
4. **ondeou,** v. **ondear** (attention à sa conjugaison !) ; a onda, *la vague, l'onde.*
5. **tenho de chamar** = mot à mot *il faut que j'appelle.*
6. **Deixe-se de** = mot à mot *Cessez de.*
7. **chiça,** expression très familière.
8. **engolindo a saliva da cólera,** m. à m. *avalant sa salive de colère.*
9. **desabafou,** prétérit du v. **desabafar** = *dire ce que l'on a sur le cœur, s'épancher.*
10. **não posso com** = não posso suportar.
11. **gajas, o gajo, a gaja,** très familier : *le type ;* dans un contexte brésilien = o cara.

Non. Son parfum disait qu'elle n'était pas en train de dormir.

— Alors ?

Je me réfugiai dans un haussement d'épaules.

— Je vais lui parler en criant.

Et il cria, sévère :

— Billet. Allons. Votre billet. Billet, brandissant sa pince, d'un air menaçant.

L'arôme rosé de l'orange envahit le wagon telle une vague, en une bouffée attendrissante.

— Si vous ne me donnez pas votre billet, je vais appeler mon chef. Allons. Assez d'histoires. Votre billet. Votre billet. Zut alors, votre billet.

Avalant sa salive de colère, le contrôleur vida son sac en me disant :

— Je ne peux pas supporter ces péronnelles. Ce sont des orgueilleuses.

Il ajouta encore avec un regard en coin que, si elle supposait que le train était à ses ordres, elle se trompait. Pas plus le train que lui, contrôleur depuis trente-deux ans, n'étaient décidés à la supporter. Il allait appeler son chef, ah ça oui. Et il y alla.

Moi je restai face à face avec l'orange. Tous les deux seuls. Suffoqué par l'auréole de parfum qui nous inondait, elle, moi, le wagon, le train, je balbutiai en sourdine :

— Qu'attends-tu ? Qui attends-tu ?

Elle bâilla et son souffle, radieux, ardent, me blessa les yeux.

— On étouffe. Dans ce wagon on étouffe, protestai-je, mais soumis.

---

12. **ajuntou** = juntou = acrescentou ; très souvent au Portugal on forme des doublets par prothèse d'un a = **levantar-alevantar**. La forme obtenue est toujours plus populaire.

13. **de esguelha** = de soslaio, de revés.

14. **que se desenganasse :** v. **desenganar-se** = *se désabuser, se détromper* = perder as ilusões.

15. **há** du verbe **haver** = *il y a*. Remarquez la traduction de *depuis* avec une durée. Ex. : **há quinze dias** = *depuis 15 jours*. Si l'on a un moment précis, *depuis* se traduit par **desde**. Ex. : **desde ontem,** *depuis hier,* **desde quinta-feira,** *depuis jeudi.*

16. **estavam para** du verbe **estar. Estar para** = *être d'humeur à.* Ex. : **não estou para graças** = *je ne suis pas d'humeur à plaisanter.*

Ela, então, como que tirando partido[1] dum sobressalto do comboio à desfilada[2], teve um movimento assombroso. Espreguiçou-se. E foi esplêndida.

Um arrepio, um tumulto interior, convulsivo, fê-la girar[3] sobre si, numa tumefacção que quase lhe estalava a face resplandecente. Precipitei-me, de mãos submissas. E ela exalou em vibrações sucessivas o apelo inflamado do perfume, que era um murmúrio de areias movediças.

Foi aqui[4] que eu senti, debaixo dos pés, nitidamente senti, o combio a fugir[5] pela noite, caracol trémulo[6] e acossado, a fugir em pânico. Uma laranja encravada[7] no seu bojo apoderara-se dele, assenhoreara-se dos seus impulsos de comboio apenas sensível ao percurso, ao corrimão dos carris[8] por onde devia deslizar[9]. Uma laranja só, lustrosa, cintilante, uma laranja zumbidora[10] de perfumes, impetuosa, rubra, uma laranja, aquela, diante de mim, ia explodir. E com ela explodiria o comboio, eu, nós, passageiros enleados, e aquela franja da noite à madrugada por onde o comboio corria. Que explosão magnífica !

Percebi isso, alucinadamente, nos sacões[11] do comboio em fuga. Percebi isso de olhos semicerrados para o inchaço[12] de luz que dela crescia, mais o seu aroma espesso de ameaça. Percebi tudo. Aterrorizado com o despudor do que[13] ousava, fui-me[14] a ela, arrebatei-a[15] ao assento onde se aninhara[16] e, num hiato[17] de gestos descomandados, lancei-a janela fora, para a madrugada longe, para a aridez do vento que jorrava[18] da janela aberta e varria, num jacto, o último rasto de um aroma, de um perigo.

---

1. **tirando partido dum sobressalto** = aproveitando um sobressalto.
2. **a desfilada**, verbe desfilar : o desfile = *le défilé*.
3. **girar** = *tourner* (autour d'un axe).
4. **foi aqui**. Remarquez la concordance des temps.
5. **a fugir** = fugindo.
6. **trémulo** (adj.), v. tremer = *trembler*.
7. **encravada** = a unha encravada = *l'ongle incarné*.
8. **os carris**, singulier : o carril = o trilho.
9. **deslizar** = *glisser*. Ne pas confondre avec escorregar = *glisser en tombant*; escorregar numa casca de banana = *glisser sur une peau de banane*.
10. **zumbidora**, verbe zumbir = *bourdonner*.

Elle, alors, comme profitant d'un à-coup du train qui roulait à toute vapeur, elle eut un mouvement étonnant. Elle s'étira. Et elle fut splendide.

Un frisson, un tumulte intérieur, convulsif, la fit tourner sur elle-même, et gonfler au point de faire éclater son visage resplendissant. Je me précipitai, les mains soumises. Et elle exhala en vibrations successives l'appel enflammé de son parfum, qui était un murmure de sables mouvants.

C'est alors que je sentis, sous mes pieds, que je sentis nettement, le train qui fuyait dans la nuit, escargot tremblant et traqué qui fuyait affolé. Une orange incrustée dans son giron s'était emparée de lui, était devenue la maîtresse de ses impulsions de train sensible uniquement au parcours, à la rampe des rails sur lesquels il devait glisser. Rien qu'une orange, luisante, scintillante, une orange bourdonnante de parfums, impétueuse, cuivrée, une orange, celle-là même qui, devant moi, allait exploser. Et avec elle c'est le train qui allait exploser, c'est moi, c'est nous, passagers extasiés, et c'est cette frange entre la nuit et le petit matin dans laquelle filait le train. Quelle explosion magnifique.

C'est ce que je compris, halluciné, d'après les secousses du train en fuite. C'est ce que je compris, les yeux mi-clos, regardant l'onde de lumière qui émanait d'elle et s'enflait, avec son arôme lourd de menace. Je compris tout. Terrifié par l'impudeur qu'elle se permettait, je me lançai sur elle, je l'arrachai au siège où elle s'était pelotonnée et dans une incohérence de gestes incontrôlés je la jetai par la fenêtre vers le lointain du petit matin, vers l'aridité du vent qui s'engouffrait par la fenêtre ouverte et balayait, d'un jet, l'ultime vestige d'un arôme, d'un danger.

---

11. **sacões**, du verbe **sacudir** = *secouer*.
12. **inchaço** = *enflure* ; **inchar** = *enfler*.
13. **do que** = daquilo que.
14. **fui-me a ela** = lancei-me sobre ela.
15. **arrebatei-a**, du verbe **arrebatar** = arrancar.
16. **aninhara**, du verbe **aninhar** ; **aninhar-se** = *se nicher* ; **o ninho** = *le nid*.
17. **hiato** = *hiatus*.
18. **jorrava** du verbe **jorrar** = *jaillir*.

O coração mecânico do comboio quase estacou, assim me pareceu, mas logo se afez de novo ao ritmo da indiferença. Da janela aberta o frio secava-me o rosto. Lágrimas ? Suor ? Lágrimas ? Voltei-me, quando ouvi, sobre as minhas costas a voz indignada do revisor. Vinha a dizer[1] que era proibido, que alguma coisa era definitivamente proibida.

Acompanhava-o um fiscal hirto, de farda[2] preta, o que singularmente o assemelhava a um eclesiástico.

— Onde está ela ? Para onde foi ? inquiriu o revisor.

Apontei com o queixo o além[3] do horizonte, enquanto[4] fechava a janela.

Frustrado na sua indignação, o pobre homem interrogou com os olhos o superior. Este, de gestos rigorosos — e como ele se parecia, realmente, com um sacerdote — aproximou-se do vidro da janela e olhou para fora.

O clarão redondo do Sol a crescer[5], aquecia o fundo da madrugada e, macio, alaranjado, reflectiu-se-lhe[6] no rosto.

Fitaram-se que tempos[7], enquanto o comboio dócil soluçava nos carris. Depois o hierático fiscal poisou[8] em mim os olhos complacentes e disse :

— Fez bem.

E foram-se os dois embora.

---

1. **vinha a dizer** = vinha dizendo. Remarquez que l'on peut utiliser le verbe **vir** comme semi-auxiliaire dans une forme progressive.
2. **a farda** = o uniforme.
3. **o além** = *l'au-delà*. On ne peut garder dans ce texte le substantif. Nous avons donc rajouté le mot *point* et au-delà redevient adverbe.
4. **enquanto** = *tandis que*.
5. **a crescer** = crescendo.
6. **reflectiu-se-lhe**. Remarquez la façon de rendre le possessif par le verbe réfléchi et le complément indirect **lhe**.
7. **que tempos**, expression idiomatique = por muito tempo.
8. **poisou**, verbe poisar ou **pousar** ; on a de même pour **toiro/touro, oiro/ouro**, etc.

Le cœur mécanique du train faillit s'arrêter net, ainsi me sembla-t-il, mais aussitôt il reprit le rythme de l'indifférence. De la fenêtre ouverte le froid séchait mon visage. Larmes ? Sueur ? Larmes ? Je me retournai lorsque j'entendis, dans mon dos, la voix indignée du contrôleur. Il disait que c'était interdit, qu'il y avait quelque chose d'expressément interdit.

Il était en compagnie d'un chef, guindé, dans son uniforme noir, ce qui le faisait ressembler singulièrement à un ecclésiastique.

— Où est-elle ? Où est-elle allée, demanda le contrôleur.

Du menton je montrai un point au-delà de l'horizon, tout en fermant la fenêtre.

Frustré dans son indignation, le pauvre homme interrogea des yeux son supérieur. Celui-ci à l'allure sévère — en effet, il ressemblait vraiment à un prêtre — s'approcha de la vitre de la fenêtre et regarda dehors.

La lueur ronde du soleil qui montait, réchauffait le fond du petit matin et, douce, orangée, elle se refléta sur son visage.

Ils se fixèrent longuement, tandis que le train docile sanglotait sur les rails. Puis le chef hiératique posa sur moi son regard accommodant et dit :

— Vous avez bien fait.

Et tous deux s'en allèrent.

Révisions

Vous avez rencontré dans le conte que vous venez de lire l'équivalent des expressions françaises suivantes.

Vous en souvenez-vous ?

1. Avec une place réservée.
2. Sans doute dort-elle ?
3. Si vous ne me donnez pas votre billet, je vais appeler...
4. Assez d'histoires.
5. Qu'attends-tu ?
6. Qui attends-tu ?
7. Elle s'étira.
8. Je compris tout.
9. Je me lançai sur elle.
10. Il disait que c'était interdit.
11. Où est-elle ?
12. Où est-elle allée ?
13. Vous avez bien fait.

1. Com um lugar marcado.
2. Estará a dormir ?
3. Se não me dá o bilhete, tenho de chamar...
4. Deixe-se de histórias.
5. Por que esperas ?
6. Por quem esperas ?
7. Espreguiçou-se.
8. Percebi tudo.
9. Fui-me a ela.
10. Vinha a dizer que era proibido.
11. Onde está ela ?
12. Para onde foi ?
13. Fez bem.

Luís Fernando VERÍSSIMO

Cantada[1]

Drague

Luís Fernando Veríssimo est né en 1936 à Porto Alegre (État du Rio Grande do Sul). D'abord joueur de saxophone, il s'installe à Rio. En 1967 il retourne dans sa ville natale et travaille pour le journal *Zero Hora*. En 1970 il passe à la *Folha da Manhã*. Il écrit pour le *Jornal do Brasil* et plusieurs revues. Il se consacre surtout à la chronique satirique. Il devient célèbre en 1975 par la publication du recueil, *A Grande Mulher Nua*. Son *Analista de Bagé* (1981) est couronné de succès. Viennent ensuite *O Gigolô das Palavras, Outras do Analista de Bagé*, etc. La chronique que nous présentons, « Cantada », est extraite de *A Velhinha de Taubaté* (1983).

— Eu sei que você vai rir, mas...
— Sim ?
— Por favor, não pense que é *paquera*[2].
— Não penso, não. Pode falar[3].
— Eu não conheço você de algum lugar ?
— Pode ser...
— Nice. 1971. Saguão[4] do Hotel Negresco. Promenade des Anglais. Quem nos apresentou foi o barão[5]... o barão... Como é mesmo[6] o nome dele ?
— Não, não. Em 71 eu não estive[7] em Nice.
— Pode ter sido 77. Estou quente[8] ?
— Que mês ?
— Abril ?
— Não.
— Agosto ?
— Agosto ? No forte da estação ? Deus me livre[9].
— Claro. Eu também nunca estive em Nice em agosto. Onde é que eu estou com a cabeça[10] ?
— Não terá sido[11] em Portofino ?
— Quando ?
— Outubro, 72. Eu era convidada no iate do comendador... comendador...
— Petrinelli.

---

1. **cantada** du verbe cantar *(chanter)* + suffixe ada (voir note 10, p. 19 et 4, p. 32) ; au Brésil cantar uma mulher = *essayer de séduire une femme par de belles paroles (draguer, baratiner).*
2. **a paquera** = a cantada ; du verbe paquerar = *draguer, baratiner.*
3. **pode falar** ; falar = *parler*, mais très souvent au Brésil a le sens de dizer *(dire).*
4. **o saguão** = o hall.
5. **quem nos apresentou foi o barão** = *c'est le baron qui nous a présentés.* Attention à la traduction de l'expression *c'est moi qui suis la sœur de...* : quem é a irmã de... sou eu, sou eu que sou a irmã de..., sou eu quem é a irmã de..., eu é que sou a irmã de...
6. **mesmo** = realmente (valeur emphatique).

— Je sais que vous allez rire, mais...

— Oui ?

— S'il vous plaît, ne pensez pas que je vous baratine.

— Non, je ne le pense pas. Dites.

— Est-ce que je ne vous connais pas de quelque part ?

— C'est possible...

— Nice. 1971. Le hall de l'hôtel Negresco. La Promenade des Anglais. On a été présentés par le baron... le baron... Comment est-ce qu'il s'appelle déjà ?

— Non, non. En 1971 je ne suis pas allée à Nice.

— Ça a peut-être été en 77. Je brûle ?

— Quel mois ?

— Avril ?

— Non.

— Août ?

— Août ? Au plus fort de la saison ? Jamais de la vie.

— Bien sûr. Moi non plus je ne suis jamais allé à Nice en août. Où est-ce que j'ai la tête ?

— Est-ce que ce n'est pas par hasard à Portofino ?

— Quand ?

— Octobre 72. J'étais invitée sur le yacht du commandeur... du commandeur.

— Petrinelli.

---

7. **eu não estive,** m. à m. *je n'ai pas été.* Le verbe **estar** indique une durée.

8. **estou quente,** m. à m. *je suis chaud.* Le verbe *brûler* se traduit par **queimar** (transitif) ; ex. : queimar um documento, *brûler un document,* et **arder** (intransitif) ; ex. : a casa arde, *la maison brûle.* Uma queimadura, *une brûlure, un coup de soleil.*

9. **Deus me livre** = mot à mot *Dieu m'en garde.* Du v. **livrar** = *délivrer, débarrasser.* Ficar livre de = *être débarrassé de.*

10. **Onde é que eu estou com a cabeça,** m. à m. *où est-ce que je suis avec ma tête.*

11. **não terá sido.** Remarquez l'utilisation du futur hypothétique. Dans une phrase au passé on dirait : **não teria sido** = *ce n'était pas par hasard.*

— Não. Ele era comprido[1] e branco.

— O comendador ?

— Não, o iate. Tenho uma vaga lembrança de ter visto[2] o seu rosto...

— Impossível. Há anos[3] que eu não vou a Portofino. Desde que perdi tudo o que tinha no cassino[4] há... Meu Deus, sete anos !

— Mas, que eu saiba, Portofino não tem cassino.

— Era um cassino clandestino na casa de verão do conde... do conde...

— Ah, sim, eu ouvi falar[5].

— Como era o nome do conde ?

— Farci d'Amieu.

— Esse[6].

— Você perdeu tudo no jogo ?

— Tudo. Minha salvação foi[7] uma milionária boliviana que me adotou. Vivi durante um mês à custa do trabalho escravo[8] nas minas de estanho. Que remorso[9]. O caviar não passava na garganta[10]. Felizmente minha família mandou[11] dinheiro. Fui salvo do inferno pelo Banco do Brasil.

— Bom, se não foi em Portofino, então...

— Nova Iorque ! Tenho certeza de que foi[12] Nova Iorque ! Você não estava no apartamento da Elizinha, no jantar para o rei da Grécia ?

— Estive[13].

— Então está desvendado[14] o mistério ! Foi lá que nos conhecemos.

— Espere um pouquinho[15]. Agora estou me lembrando[16].

---

1. **comprido** = longo ; o comprimento = *la longueur.*
2. **Tenho uma vaga lembrança de ter visto,** m. à m. *j'ai un vague souvenir d'avoir vu.*
3. **há anos** = faz anos.
4. **cassino**. On écrirait au Portugal casino.
5. **eu ouvi falar,** m. à m. *j'ai entendu parler (dire).* Remarquez l'absence de pronom complément. On vient de nommer la chose (um cassino clandestino), le sens est clair. Le français rappelle le compl. : *j'en ai entendu parler.*
6. **esse**. Remarquez la valeur du démonstratif esse = esse mesmo *(celui-là même).*
7. **minha salvação foi,** m. à m. *mon salut a été.* Du v. **salvar** = *sauver.* Salvo, a = *sauvé, e.*
8. **trabalho escravo ; escravo** est employé ici comme adjec-

— Non. Il était long et blanc.

— Le commandeur ?

— Non, le yacht. Je me souviens vaguement avoir vu votre visage...

— Impossible. Ça fait des années que je ne vais pas à Portofino. Depuis que j'ai perdu tout ce que j'avais au casino il y a... Mon Dieu, sept ans !

— Mais, pour autant que je sache, Portofino n'a pas de casino.

— C'était un casino clandestin dans la résidence d'été du comte... du comte...

— Ah oui, j'en ai entendu parler.

— Quel était le nom du comte ?

— Farci d'Amieu.

— C'est ça.

— Vous avez tout perdu au jeu ?

— Tout. J'ai dû mon salut à une millionnaire bolivienne qui m'a adopté. J'ai vécu pendant un mois au prix d'un travail d'esclave dans les mines d'étain. Quel terrible souvenir. Le caviar me restait en travers de la gorge. Heureusement ma famille m'a envoyé de l'argent. J'ai été sauvé de l'enfer par la Banque du Brésil.

— Bon, si ce n'était pas à Portofino, alors...

— New York ! Je suis sûr que c'était à New York ! N'étiez-vous pas dans l'appartement d'Elizinha, au dîner en l'honneur du roi de Grèce ?

— Si.

— Alors le mystère est éclairci ! C'est là que nous nous sommes connus.

— Attendez un peu. Maintenant je me souviens.

---

tif. Um escravo, uma escrava = *un, une esclave.*

9. **o remorso** = *le remords.*

10. **o caviar não passava na garganta,** m. à m. *le caviar ne passait pas dans ma gorge.*

11. **mandou** = enviou.

12. **Tenho certeza de que foi** = estou certo de que foi.

13. **estive.** Remarquez la réponse. Plutôt que sim, c'est le verbe que l'on reprend : estive.

14. **está desvendado** = está descoberto. Du v. **desvendar,** *dévoiler, débander.* A venda = *le bandeau.*

15. **pouquinho,** diminutif de pouco.

16. **estou me lembrando,** du v. **lembrar-se.** Attention à sa construction : lembrar-se de uma coisa, *se rappeler qqch.*

Não era para o rei da Grécia. Era para o rei da Turquia. Outra festa[1].

— A Turquia, que eu saiba, não tem rei.

— É um clandestino. Ele fundou[2] um Governo no exílio : 24°[3] andar do Olympic Tower. É o único apartamento de Nova Iorque que tem[4] cabritos[5] pastando[6] no tapete[7].

— Espere ! Já sei. Matei[8]. Saint-Moritz. Inverno de...

— 79 ?

— Isso.

— Então não era eu. Estive lá em 78.

— Então foi 78[9].

— Não pode ter sido. Eu estava incógnita[10]. Esquiava com uma máscara. Não falei com ninguém.

— Então era você a esquiadora mascarada ! Diziam que era a Farah Diba[11].

— Era eu mesma.

— Meu Deus, onde foi que nos encontramos[12], então ?

— Londres lhe diz alguma coisa ?

— Londres, Londres...

— A casa de Lady Asquith, em Mayfair ?

— A querida Lady Asquith. Conheço bem[13]. Mas nunca estive na sua casa da cidade. Só na sua casa de campo.

— Em Devonshire ?

— Não é Hamptonshire ?

— Pode ser. Sempre confundo os shires.

— Se não foi em Londres, então... Onde ?

— Precisamos descobrir[13]. Hoje eu não durmo[14] sem descobrir[15] onde nos conhecemos.

---

1. **a festa** = la fête.
2. **fundou,** prétérit du v. **fundar** = *fonder*. As fundações = *les fondations*.
3. **24°** = vigésimo quarto.
4. **É o único... que tem.** Remarquez l'emploi de l'indicatif en portugais.
5. **cabrito** vient de **cabra** *(chèvre)* ; o bode = *le bouc ;* o bode expiatório = *le bouc émissaire*.
6. **pastando,** du v. **pastar,** *paître*. O pasto = *le pâturage*.
7. **o tapete** = *le tapis*. A alcatifa = *la moquette*.
8. **matei** (verbe matar) = *tuer*. Ici = adivinhar. O matadouro = *l'abattoir*.
9. **então foi 78**. Remarquez la traduction de **foi** qui correspond

Ce n'était pas en l'honneur du roi de Grèce. C'était en l'honneur du roi de Turquie. Une autre réception.

— La Turquie, pour autant que je sache, n'a pas de roi.

— C'est un roi clandestin. Il a créé un gouvernement en exil : 24ᵉ étage de l'Olympic Tower. C'est le seul appartement de New York qui ait des cabris qui broutent le tapis.

— Attendez ! Ça y est. J'ai trouvé. Saint-Moritz. Hiver...

— 79 ?

— Exactement.

— Alors ce n'était pas moi. J'y étais en 78.

— Alors c'était 78.

— Ce n'est pas possible. J'y étais incognito. Je skiais avec un masque. Je n'ai parlé à personne.

— Alors c'était vous la skieuse masquée ! On disait que c'était Farah Diba.

— C'était moi, en personne.

— Mon Dieu, où est-ce que nous nous sommes rencontrés, alors ?

— Londres vous dit quelque chose ?

— Londres, Londres...

— La maison de Lady Asquith, à Mayfair ?

— La chère Lady Asquith. Je la connais bien. Mais je ne suis jamais allé chez elle en ville. Seulement à la campagne.

— Dans le Devonshire ?

— N'est-ce pas le Hamptonshire ?

— C'est possible. Je mélange toujours les shires.

— Si ce n'était pas à Londres, alors... Où ?

— Il nous faut le découvrir. Je ne dormirai pas aujourd'hui sans découvrir où nous nous sommes connus.

à l'imparfait en français ; **foi numa bela tarde** = *c'était par un bel après-midi.*

10. **eu estava incógnita.** Notez que le complément n'est pas répété en portugais.

11. **a Farah Diba.** Remarquez l'emploi de l'article défini devant le nom propre. Cet emploi est familier.

12. **encontramos.** Au Portugal on écrirait **encontrámos.**

13. **conheço bem.** Remarquez que le pronom compl. direct est explétif en portugais.

14. **hoje não durmo.** Du v. **dormir** (attention à la conjugaison). Remarquez le présent à sens futur.

15. **sem descobrir,** infinitif personnel. On aurait au pluriel : **não dormimos sem descobrirmos.**

— No meu apartamento ou no seu ?

**

— Mmmm. Foi ótimo[1].
— Para mim também.
— Quer[2] um cigarro ?
— Tem Galoise[3] ? Depois de morar[4] em Paris, não me acostumo com[5] outro.
— Diga a verdade. Você alguma vez morou em Paris ?
— Minha querida ! Tenho uma suíte reservada no Plaza Athénée.
— A verdade...
— Está bem, não é uma suíte. Um quarto.
— Confesse. Era tudo mentira[6].
— Como é que você descobriu ?
— O conde de Farci d'Amieu. Não existe. Eu inventei o nome.
— Se você sabia que eu estava mentindo, então por quê...
— Porque gostei de você. Se você tivesse[7] chegado e dito « Topas[8] ? » eu teria respondido « Topo ». De onde você tirou[9] tudo aquilo ? Hotel Negresco, Saint-Moritz.
— Não perco[10] a coluna[11] do Zózimo[12]. Vi você e pensei, com aquela ali a cantada é noutro nível. Agora, me diga uma coisa.
— O quê ?
— Você esquiava mesmo de máscara em Saint-Moritz ?
— Nunca esquiei na minha vida. Nunca saí do Brasil[13]. Eu não conheço nem a Bahia.
— Eu sei que você vai rir, mas...

---

1. Au Portugal on écrit : **óptimo** (le **p** ne se prononce pas) ; **ótimo** = muito bom ≠ péssimo = muito ruim, muito mau.
2. **quer** = você quer. Você correspond à un *vous* assez familier ou à un *tu*. Le ton du texte a changé ; nous préférons le rendre ici par *tu*.
3. **galoise**, déformation de *gauloises*.
4. **depois de morar em Paris** = mot à mot *après avoir habité à Paris*.
5. **não me acostumo com outro,** du v. **acostumar-se.** Attention à sa construction : acostumar-se com algo = *s'habituer à qqch* ; mais acostumar-se a viver = *s'habituer à vivre*.
6. **era tudo mentira** = mot à mot *ce n'étaient que des mensonges*.
7. **se você tivesse chegado... eu teria respondido.** Remar-

— Chez moi ou chez vous ?

❖

— Hemmm. C'était très bon.
— Pour moi aussi.
— Tu veux une cigarette ?
— Tu as des Gauloises ? Depuis que j'ai vécu à Paris, je ne m'habitue pas à d'autres.
— Dis-moi la vérité. Toi, tu as déjà vécu à Paris ?
— Ma chère ! J'ai une suite réservée au Plaza Athénée.
— La vérité...
— D'accord, ce n'est pas une suite. Une chambre.
— Avoue. Tout ça c'était du cinéma.
— Comment est-ce que tu l'as découvert ?
— Le comte de Farci d'Amieu. Il n'existe pas. J'ai inventé le nom.
— Si tu savais que j'étais en train de mentir, alors pourquoi...
— Parce que tu m'as plu. Si tu étais arrivé en disant « tu veux ? » j'aurais répondu « d'accord ». Où est-ce que tu es allé chercher tout ça ? Hôtel Negresco, Saint-Moritz.
— Je ne manque jamais la chronique de Zózimo. Je t'ai vue et j'ai pensé : avec celle-là c'est de la drague à un niveau plus élevé. Maintenant, dis-moi une chose.
— Quoi ?
— Tu skiais vraiment avec un masque à Saint-Moritz ?
— Je n'ai jamais skié de ma vie. Je n'ai jamais quitté le Brésil. Je ne connais même pas l'État de Bahia.
— Je sais que tu vas rire, mais...

---

quez la subordonnée conditionnelle. *Si* + imparfait indicatif... conditionnel = en portugais **se** + subjonctif imparfait - conditionnel.
8. **topas**, verbe **topar** = encontrar ; dans la langue familière = concordar.
9. **tirou**, verbe **tirar** = *tirer, enlever.*
10. **perco**, verbe **perder**, 1re personne du singulier du présent de l'indicatif.
11. **a coluna** = *la colonne.*
12. **Zózimo**, chroniqueur mondain qui écrit dans le « **Jornal do Brasil** ».
13. **Nunca saí do Brasil,** m. à m. *je ne suis jamais sorti du Brésil.*

— O quê ?

— Eu conheço você de algum lugar, mesmo.

— Guarapari[1]. Há três anos. Mamãe[2] foi fazer um tratamento de lodo[3]. Nos conhecemos na praia.

— Mas claro ! Agora me lembro. Não reconheci você sem o maiô[4].

— Você quer o cigarro, afinal ?

— Que marca tem ?

— Oliú[5].

— Manda[6].

---

1. **Guarapari**, plage célèbre pour les vertus de sa boue, située dans l'État de Espírito Santo.
2. **mamãe**, au Portugal on écrit mamã.
3. **o lodo** = a lama.
4. **o maiô.** Au Portugal on emploie o fato de banho ou o maillot.
5. **Oliú** = déformation de Hollywood.
6. **manda,** du v. **mandar.** Remarquez la forme très familière **manda** (você) pour mande.

— Quoi ?

— Je te connais de quelque part, c'est vrai.

— Guarapari. Il y a trois ans. Maman est allée faire un traitement de boue. On s'est connus sur la plage.

— Mais bien sûr ! Maintenant je me souviens. Je ne t'ai pas reconnu sans ton maillot de bain.

— Tu veux une cigarette, en fin de compte ?

— Quelle marque tu as ?

— Oliú.

— Envoie.

Révisions

Vous avez rencontré dans la chronique que vous venez de lire l'équivalent des expressions françaises suivantes.

Vous en souvenez-vous ?

1. Dites.
2. On a été présentés par...
3. Comment est-ce qu'il s'appelle déjà ?
4. Au plus fort de la saison.
5. Jamais de la vie.
6. Pour autant que je sache.
7. C'est le seul appartement qui ait...
8. Je n'ai parlé à personne.
9. Tu as déjà vécu à Paris ?
10. Tout ça c'était du cinéma.

1. Pode falar.
2. Quem nos apresentou foi...
3. Como é mesmo o nome dele ?
4. No forte da estação.
5. Deus me livre.
6. Que eu saiba.
7. É o único apartamento que tem...
8. Não falei com ninguém.
9. Você alguma vez morou em Paris ?
10. Era tudo mentira.

Luandino VIEIRA

A fronteira de asfalto

La frontière d'asphalte

José Mateus Vieira da Graça (Luandino Vieira) est né au Portugal (Leiria) en 1935. Il est très jeune lorsque sa famille part s'installer en Angola. Au moment de l'Indépendance, il a un rôle politique important. Il collabore à plusieurs journaux et revues et publie des contes et romans : *A Cidade e a Infância* (1960), *A Vida Verdadeira de Domingos Xavier* (1961), *Luuanda* (1964), *Nós os do Makulusu* (1967), *Macandumba* (1978), etc.

A menina das[1] tranças loiras olhou para ele, sorriu e estendeu a mão.

— Combinado[2] ?

— Combinado, disse ele.

Riram os dois e continuaram a andar[3], pisando as flores violeta[4] que caíam das árvores.

— Neve cor de violeta, disse ele.

— Mas tu nunca viste neve...

— Pois não[5], mas creio[6] que cai assim...

— É branca, muito branca...

— Como tu[7] !

E um sorriso triste aflorou[8] medrosamente[9] aos lábios dele[10].

— Ricardo ! Também há neve cinzenta... cinzenta escura.

— Lembra-te da nossa combinação[2]. Não mais...

— Sim, não mais falar da tua cor. Mas quem falou primeiro foste tu[11].

Ao chegarem[12] à ponta do passeio ambos fizeram meia volta[13] e vieram pelo mesmo caminho. A menina tinha tranças loiras e laços vermelhos.

— Marina, lembras-te da nossa infância ? — e voltou-se subitamente para ela.

---

1. **das.** Remarquez l'emploi de la préposition *de* qui indique une caractéristique. Ex. : a menina dos olhos azuis, *la jeune fille aux yeux bleus.*

2. **combinado**, verbe combinar = *combiner, arranger* ; combinado est la forme réduite de está combinado ; a combinação = *l'accord.*

3. **continuaram a andar** = continuaram andando.

4. **violeta**. Remarquez que l'adjectif ne s'accorde pas : cor de violeta *(couleur de violette)*. L'adjectif *violet* se traduit par roxo (fém. : roxa).

5. **Pois não**. Suivant le ton et le contexte, cette expression peut signifier *bien sûr*. Au Brésil, elle n'a que ce dernier sens.

6. **creio**, 1re personne (présent) du v. **crer.**

7. **como tu**. Remarquez l'emploi du pronom sujet dans la comparaison : como tu és.

8. **aflorou**, verbe aflorar = *affleurer.*

La fillette aux tresses blondes le regarda, sourit et tendit la main.
— D'accord ?
— D'accord, dit-il.
Ils rirent tous deux et continuèrent à marcher, foulant les fleurs violettes qui tombaient des arbres.
— De la neige violette, dit-il.
— Mais tu n'as jamais vu de neige...
— Non, bien sûr, mais je crois qu'elle tombe comme ça...
— Elle est blanche, très blanche.
— Comme toi !
Et un sourire triste se dessina craintivement sur ses lèvres.
— Ricardo ! Il y a aussi de la neige grise... gris foncé.
— Rappelle-toi notre accord. Ne plus...
— Oui, ne plus parler de ta couleur. Mais c'est toi qui en as parlé le premier.
Lorsqu'ils arrivèrent au bout du trottoir, ils firent tous deux demi-tour et revinrent par le même chemin. La fillette avait des tresses blondes et des rubans rouges
— Marina, tu te rappelles notre enfance ? — et il se tourna brusquement vers elle.

---

9. **medrosamente,** de l'adj. **medroso.** Notez que l'adverbe de manière se forme à partir de l'adjectif au féminin. Ex. : lento, lentamente ; fácil (même forme au masculin et au féminin), facilmente.
10. **lábios dele** = seus lábios.
11. **foste tu**. Remarquez la traduction de *c'est* : il y a accord avec le sujet réel (**tu**) et concordance de temps.
12. **ao chegarem ; ao** + infinitif = la simultanéité de deux actions = quando chegaram. Remarquez l'infinitif personnel ao « chegarem ».
13. **fizeram meia volta** = deram meia volta.

Olhou-a nos olhos[1]. A menina baixou o olhar[2] para a biqueira[3] dos sapatos pretos e disse :

— Quando tu fazias carros com rodas de patins e me empurravas à volta do bairro ? Sim, lembro-me...

A pergunta que o perseguia[4] há meses[5] saiu finalmente.

— E tu achas que está tudo como então[6] ? Como quando brincávamos às escondidas[7] ? Quando eu era o teu amigo Ricardo, um pretinho muito limpo e educado, no dizer[8] de tua mãe ? Achas ?...

E com as próprias palavras ia-se excitando[9]. Os olhos brilhavam e o cérebro ficava vazio porque tudo o que acumulara[10] saía numa torrente[11] de palavras.

— ... que eu posso continuar a ser[12] teu amigo...

— Ricardo !

— Que a minha presença em tua casa... no quintal da tua casa, poucas vezes dentro dela ! não estragará[13] os planos da tua família a respeito das tuas relações...

Estava a ser[14] cruel. Os olhos azuis de Marina não lhe diziam nada[15]. Mas estava a ser[14] cruel ! O som da própria voz fê-lo[16] ver isso. Calou-se subitamente.

— Desculpa, disse por fim.

Virou os olhos para[17] o seu mundo. Do outro lado da rua asfaltada não havia passeio. Nem árvores de flores violeta. A terra era vermelha. Piteiras. Casas de pau-a-pique à sombra de mulembas[18]. As ruas de areia eram sinuosas. Uma ténue nuvem de poeira[19] que o vento levantava, cobria tudo.

---

1. **olhou-a nos olhos,** m. à m. *il la regarda dans les yeux.*
2. **baixou o olhar,** m. à m. *baissa son regard.*
3. **a biqueira** de **bico** = *pointe.* O **bico** est aussi *le bec.*
4. **perseguia,** verbe perseguir = *poursuivre*; mais dans le sens de *continuer, poursuivre,* se traduit par prosseguir. Ex. : prosseguir os estudos = *poursuivre ses études.*
5. **há meses.** Remarquez la traduction de *depuis* par há (haver) ; há muito tempo = *depuis longtemps.*
6. **então** = *alors.*
7. **às escondidas,** du v. **esconder** = *cacher.*
8. **no dizer.** Remarquez l'infinitif substantivé.
9. **ia-se excitando ; ir** + gérondif indique une action qui se déroule peu à peu.
10. **acumulara** = tinha acumulado.
11. **uma torrente** = *un torrent.*
12. **posso continuar a ser,** m. à m. *je peux continuer à être.*
13. **estragará,** verbe estragar = *abîmer.*

176

Il cherca son regard. La fillette baissa les yeux sur le bout de ses chaussures noires et dit :

— Quand tu faisais des voitures avec des roues de patins à roulettes et que tu me poussais en faisant le tour du quartier ? Oui...

La question qui le harcelait depuis des mois vint finalement.

— Et tu trouves que tout est comme avant ? Comme lorsque nous jouions à cache-cache ? Quand j'étais ton ami Ricardo, un petit Noir bien propre et bien élevé, au dire de ta mère ? Tu trouves ?...

Et avec ses propres paroles il s'excitait peu à peu. Ses yeux brillaient et son cerveau se vidait parce que tout ce qu'il avait accumulé sortait en un flot de paroles.

— ... que je peux toujours être ton ami...

— Ricardo !

— Que ma présence chez toi... dans le jardin de la maison, rarement à l'intérieur ! ne va pas déranger les plans de ta famille au sujet de tes relations...

Il était cruel. Les yeux bleus de Marina ne traduisaient rien. Mais il était cruel ! Le son de sa propre voix le lui fit sentir. Il se tut subitement.

— Pardon, dit-il enfin.

Il regarda du côté de son monde. De l'autre côté de la rue asphaltée il n'y avait pas de trottoir. Ni d'arbres aux fleurs violettes. La terre était rouge. Des agaves. Des maisons de torchis à l'ombre des figuiers. Les rues de sable étaient sinueuses. Un léger nuage de poussière que le vent soulevait, recouvrait tout.

---

14. **estava a ser** = estava sendo.
15. **não lhe diziam nada**, m. à m. *ne lui disaient rien*.
16. **fê-lo.** Notez les modifications orthographiques de *fez* (prétérit 3ᵉ personne) et *o* (pronom personnel compl. direct).
17. **virou os olhos para**, m. à m. *il tourna les yeux vers*.
18. **mulemba**, mot africain qui désigne une sorte de *figuier d'Angola*.
19. **a poeira** = o pó.

177

A casa dele[1] ficava ao fundo. Via-se do sítio[2] onde estava. Amarela. Duas[3] portas, três janelas. Um cercado de aduelas e arcos de barril.

— Ricardo, disse a menina das tranças loiras, tu disseste tudo isso para quê ? Alguma vez[4] te disse que não era tua amiga ? Alguma vez te abandonei ? Nem os comentários das minhas colegas, nem os conselhos velados[5] dos professores, nem a família que se tem voltado[6] contra mim...

— Está bem. Desculpa. Mas sabes, isto fica entre nós. Tem de sair em qualquer altura[7].

E lembrava-se do tempo em que não havia perguntas, respostas, explicações. Quando ainda não havia a fronteira do asfalto.

— Bons tempos[8], encontrou-se[9] a dizer. A minha mãe era a tua lavadeira. Eu era o filho da lavadeira. Servia de palhaço à menina Nina. A menina Nina dos[10] caracóis loiros[11]. Não era assim que te chamavam ? gritou ele.

Marina fugiu para casa. Ele ficou com os olhos marejados[12], as mãos ferozmente fechadas e as flores violeta caindo-lhe[13] na carapinha negra. Depois, com passos decididos atravessou a rua, pisando com raiva a areia vermelha e sumiu-se[14] no emaranhado do seu mundo. Para trás ficava a ilusão.

Marina viu-o afastar-se. Amigos desde pequenos. Ele era o filho da lavadeira que distraía[15] a menina[16] Nina. Depois a escola. Ambos[17] na mesma escola, na mesma classe. A grande amizade a nascer.

---

1. **dele**, voir note 10, p. 175.
2. **o sítio** = o lugar.
3. **duas portas.** Remarquez le féminin de dois. Ex. : dois livros = *deux livres.*
4. **alguma vez**, m. à m. *une fois...*
5. **velados** = *voilés*, du v. **velar** = *voiler. Le voile* = o véu, mais a **vela** = *la voile* ou *la bougie.*
6. **tem voltado**, passé composé : indique une action qui se prolonge jusqu'au moment présent ; ne pas confondre avec l'emploi du passé simple.
7. **em qualquer altura**, m. à m. *à n'importe quel moment.*
8. **bons tempos.** Notez que l'expression est au pluriel en portugais. Bom tempo a le sens de *beau temps.*
9. **encontrou-se,** m. à m. *se trouva-t-il.*
10. **dos**, voir note 1, p. 174.
11. **loiros** = louros.

Sa maison était au fond. On la voyait de l'endroit où il était. Jaune. Deux portes, trois fenêtres. Une palissade de douves et de cerceaux de tonneaux.

— Ricardo, dit la fillette aux tresses blondes, tu as dit tout ça pourquoi ? Est-ce que je t'ai déjà dit que je n'étais pas ton amie ? Est-ce que je t'ai déjà abandonné ? Ni les commentaires de mes camarades, ni les conseils voilés des professeurs, ni la famille qui s'est retournée contre moi...

— Ça va. Pardon. Mais tu sais, ça reste en nous. Il faut que ça sorte à un moment donné.

Et il se rappelait le temps où il n'y avait pas de questions, de réponses, d'explications. Quand il n'y avait pas encore la frontière de l'asphalte.

— Le bon temps, se surprit-il à dire. Ma mère était ta laveuse. Moi j'étais le fils de la laveuse. Je servais de clown à mademoiselle Nina. Mademoiselle Nina aux boucles blondes. Ce n'était pas comme ça qu'on t'appelait ? cria-t-il.

Marina s'enfuit à la maison. Ses yeux à lui se remplirent de larmes, ses mains restèrent farouchement fermées et les fleurs violettes tombaient sur sa tête noire et crépue. Puis, d'un pas décidé il traversa la rue, foulant avec rage le sable rouge et il disparut dans l'enchevêtrement de son monde. Derrière lui restait l'illusion.

Marina le regarda s'éloigner. Amis depuis tout petits. Il était le fils de la laveuse qui amusait mademoiselle Nina. Puis l'école. Tous les deux dans la même école, dans la même classe. La grande amitié en train de naître.

---

12. **marejados** = *noyés de larmes.* Vient de mar (o mar = *la mer*).

13. **caindo-lhe**. Remarquez la traduction du possessif par le pronom indirect.

14. **sumiu-se**, v. **sumir-se** = *desaparecer.*

15. **distraía**, verbe distrair = *distraire.*

16. **a menina** = *la petite fille, la jeune fille ;* menina employé devant un prénom est une forme de politesse.

17. **ambos** = os dois.

Fugiu para o quarto. Bateu com[1] a porta. Em volta o aspecto luminoso, sorridente, o ar feliz, o calor suave das paredes cor-de-rosa. E lá[2] estava sobre a mesa de estudo « ... Marina e Ricardo, amigos para sempre ». Os pedaços da fotografia voaram e estenderam-se[3] pelo chão. Atirou-se para cima da cama e ficou de costas[4] a olhar o tecto. Era ainda o mesmo candeeiro[5]. Desenhos de Walt Disney. Os desenhos iam-se diluindo[6] nos olhos marejados. E tudo se cobriu de névoa[7], Ricardo brincava com ela. Ela corria feliz, o vestido pelos joelhos, e os caracóis loiros brilhavam. Ricardo tinha uns[8] olhos grandes. E subitamente ficou a pensar no mundo para lá[9] da rua asfaltada. E reviu[10] as casas de pau-a-pique onde viviam famílias numerosas. Num quarto como o dela dormiam os quatro irmãos de Ricardo... porquê ? Porque é que ela não podia continuar a ser amiga dele, como fora[11] em criança[12] ? Porque é que agora era diferente ?

— Marina, preciso falar-te.

A mãe entrara[13] e acariciava os cabelos loiros da filha.

— Marina, já não és nenhuma[14] criança para que não compreendas que a tua amizade por esse... teu amigo Ricardo não pode continuar. Isso é muito bonito em criança. Duas[15] crianças. Mas agora... um preto é um preto... As minhas amigas, todas falam na minha negligência na tua educação. Que te deixei... Bem sabes que não é por mim[16] !

— Está bem, eu faço o que tu quiseres[17]. Mas agora deixa-me só[18].

---

1. **bateu com,** v. **bater.** Remarquez la préposition. Bater à porta = *frapper à la porte.* Bater a criança, bater na criança = *battre l'enfant.*
2. **lá,** emploi emphatique de l'adverbe de lieu.
3. **estenderam-se,** du v. **estender-se** = *s'étendre.*
4. **de costas** = *sur le dos* ; as costas = *le dos.*
5. **candeeiro.** Ne pas confondre *la lampe* (de chevet ou de bureau) = o candeeiro (P.) et *l'ampoule* = **a lâmpada.** Le Brésil a réuni les deux sens dans **lâmpada.**
6. **iam-se diluindo,** v. note 9, p. 176.
7. **a névoa** = *la brume.*
8. **uns** n'est pas le pluriel de **um** ; il indique quelque chose d'indéfini, d'emphatique.
9. **para lá** ≠ para cá.
10. **reviu** = voltou a ver, tornou a ver.
11. **fora** = tinha sido.

Elle s'enfuit dans sa chambre. Elle claqua la porte. Autour d'elle l'aspect lumineux, souriant, l'air heureux, la chaleur douce des murs roses. Et il y avait toujours sur la table d'étude « ... Marina et Ricardo, amis pour toujours ». Les morceaux de la photographie s'envolèrent et s'étalèrent sur le sol. Elle se jeta sur son lit et resta couchée à regarder le plafond. C'était toujours la même lampe. Des dessins de Walt Disney. Les dessins se diluaient peu à peu dans ses yeux remplis de larmes. Et tout se couvrit de brouillard, Ricardo jouait avec elle. Elle courait heureuse, sa robe jusqu'aux genoux, et ses boucles blondes brillaient. Ricardo avait de grands yeux. Et subitement elle se mit à penser à ce monde de l'autre côté de la rue asphaltée. Elle revit les maisons de torchis où vivaient des familles nombreuses. Dans une chambre comme la sienne dormaient les quatre frères de Ricardo... pourquoi ? Pourquoi ne pouvait-elle pas être encore son amie, comme elle l'avait été enfant ? Pourquoi est-ce que maintenant c'était différent ?

— Marina, il faut que je te parle.

Sa mère était entrée et elle caressait ses cheveux blonds.

— Marina tu n'es plus une petite fille et tu peux comprendre que ton amitié pour ce... ton ami Ricardo ne peut pas continuer. C'est très joli quand on est enfant. Deux enfants. Mais maintenant... un Noir est un Noir... Toutes mes amies commentent ma négligence au sujet de ton éducation. Que je t'ai laissée... Tu sais bien que cela ne vient pas de moi !

— Bon, ça va, je ferai ce que tu voudras. Mais maintenant laisse-moi seule.

---

12. **em criança** = quando era criança.
13. **entrara** = tinha entrado.
14. **já não és nenhuma...** = já não és mais... ; **nenhuma** = *aucune* ; remarquez la valeur emphatique de cet indéfini.
15. **duas,** v. note 3, p. 178.
16. **por mim** = por minha causa. Ne pas confondre avec **para mim** = *pour moi*. Ici, m. à m. *à cause de moi*.
17. **quiseres**. Remarquez l'emploi du futur du subjonctif.
18. **só** = sozinha.

O coração vazio. Ricardo não era mais que[1] uma recordação longínqua[2]. Uma recordação ligada a uns[3] pedaços de fotografia que voavam pelo[4] pavimento.

— Deixas[5] de ir com ele para o liceu, de vires[6] com ele do liceu, de estudares[6] com ele...

— Está bem, mãe.

E virou a cabeça para a janela. Ao longe percebia-se a mancha escura das casas de zinco[7] e das mulembas. Isso trouxe-lhe novamente Ricardo. Virou-se subitamente para a mãe. Os olhos brilhantes, os lábios arrogantemente apertados.

— Está bem, está bem, ouviu ? gritou ela.

Depois, mergulhando a cara na colcha[8], chorou.

Na noite de luar, Ricardo debaixo da mulemba, recordava. Os giroflés e as escondidas. Os carros de patins. E sentiu necessidade imperiosa de falar-lhe. Acostumara-se[9] demasiado a ela. Todos aqueles[10] anos de camaradagem, de estudo em comum.

Deu por si[11] a atravessar a fronteira. Os sapatos de borracha rangiam[12] no asfalto.

A lua punha uma cor crua[13] em tudo. Luz na janela. Saltou o pequeno muro[14]. Folhas secas rangeram debaixo dos seus pés. O Toni rosnou na casota[15]. Avançou devagar até à varanda, subiu o rodapé[16] e bateu com cuidado.

— Quem é ?

A voz de Marina veio de dentro, íntima e assustada.

— Ricardo !

— Ricardo ? Que queres ?

---

1. **não era mais que** = era apenas.
2. **longínqua, longínquo,** de longe = *loin*.
3. **uns (pedaços)** = alguns (pedaços).
4. **pelo.** Remarquez l'emploi de la préposition por, qui indique un mouvement.
5. **deixas de,** v. **deixar de** = *cesser*; deixar = *laisser*.
6. **vires, estudares**, remarquez l'emploi de l'infinitif personnel par souci de clarté et effet de style. Ces verbes dépendent de deixas de, déjà éloigné dans la phrase.
7. **o zinco** = *le zinc*.
8. **a colcha.** Ne pas confondre avec *la couverture* = o cobertor.
9. **acostumara-se** = tinha-se acostumado.
10. **aqueles** correspond à un éloignement dans le temps, à une imprécision.

Le cœur vide. Ricardo n'était plus qu'un souvenir lointain. Un souvenir lié à quelques bouts de photographie qui volaient sur le sol.

— Tu cesses d'aller avec lui au lycée, de revenir avec lui du lycée, d'étudier avec lui...

— Ça va, maman.

Et elle tourna la tête vers la fenêtre. Au loin on voyait la tache sombre des maisons de tôle et des figuiers. Cela ramena Ricardo dans son esprit. Elle se tourna subitement vers sa mère, les yeux brillants, les lèvres serrées avec arrogance.

— Ça va, ça va, tu as entendu ? cria-t-elle.

Puis, plongeant son visage dans le couvre-lit, elle pleura.

Au clair de lune, cette nuit-là sous le figuier, Ricardo se souvenait. Les comptines et les parties de cache-cache. Les voitures aux roues de patins à roulettes. Et il ressentit un besoin impérieux de lui parler. Il s'était trop habitué à elle. Toutes ces années de camaraderie, d'étude en commun.

Sans s'en rendre compte il traversa la frontière. Ses chaussures de caoutchouc crissaient sur l'asphalte.

La lune mettait une couleur crue sur toutes choses. De la lumière à la fenêtre. Il sauta par-dessus le petit mur. Des feuilles sèches crissèrent sous ses pieds. Toni gronda dans sa niche. Il avança lentement jusqu'à la véranda, monta la marche et frappa doucement.

— Qui c'est ?

La voix de Marina vint de l'intérieur, basse et apeurée.

— Ricardo !

— Ricardo ? Qu'est-ce que tu veux ?

---

11. **deu por si (dar por)**, expression idiomatique ; dar = *donner*.

12. **rangiam,** du v. **ranger** = *grincer*. Ranger os dentes = *grincer des dents.*

13. **crua.** Le masculin est **cru**.

14. **muro** = *mur (d'enceinte)* ; ne pas confondre **muro** et **parede** *(mur)* ; o **murro** = *le coup de poing.*

15. **casota**, diminutif de **casa** qui a souvent une valeur péjorative ; ce n'est pas le cas ici.

16. o **rodapé** = *le lambris.*

— Falar contigo. Quero que me expliques o que se passa[1].

— Não posso. Estou a estudar. Vai-te embora. Amanhã na paragem do machimbombo[2]. Vou mais cedo...

— Não. Precisa de ser hoje. Preciso de saber tudo já.

De dentro veio a resposta muda[3] de Marina. A luz apagou-se[4]. Ouvia-se chorar no escuro. Ricardo voltou-se lentamente. Passou as mãos nervosas[5] pelo cabelo. E subitamente o facho da lanterna do polícia caqui bateu-lhe na cara.

— Alto aí ! O qu'é[6] que estás a fazer ?

Ricardo sentiu medo. O medo do negro pelo polícia[7].

Dum salto atingiu[8] o quintal. As folhas secas cederam e ele escorregou. O Toni ladrou.

— Alto aí seu[9] negro. Pára[10]. Pára negro !

Ricardo levantou-se e correu para o muro. O polícia correu também. Ricardo saltou.

— Pára, pára seu negro !

Ricardo não parou. Saltou o muro. Bateu no passeio com violência abafada pelos sapatos de borracha. Mas os pés escorregaram quando fazia o salto[11] para atravessar a rua. Caiu e a cabeça bateu pesadamente de encontro[12] à aresta do passeio.

Luzes acenderam-se em todas as janelas. O Toni ladrava. Na noite ficou o grito loiro da menina de tranças. Estava um luar azul de aço. A lua cruel mostrava-se bem. De pé, o polícia caqui desnudava[13] com a luz da lanterna o corpo caído. Ricardo, estendido do lado de cá da fronteira, sobre as flores violeta das árvores do passeio.

Ao fundo, cajueiros[14] curvados sobre casas de pau-a-pique, estendem a sombra retorcida na sua direcção.

---

1. **o que se passa,** v. **passar-se** = acontecer.
2. **machimbombo**, mot angolais pour désigner *un autobus* ou *un autocar.*
3. **muda** = *muette* ; mudo = *muet.*
4. **apagou-se,** v. **apagar (-se).** Apagar a luz ≠ acender luz.
5. **nervosas.** Cet adjectif a valeur d'adverbe.
6. **o qu'é,** imitation de la langue parlée pour o que é.
7. **o medo do negro pelo polícia.** Remarquez la forme plus elliptique du portugais.
8. **atingiu** = alcançou = chegou a = *il atteignit.*
9. **seu,** emploi idiomatique *(espèce de)* de **seu.** Au féminin : sua. Ex. : sua malcriada, *espèce de mal élevée.*

184

— Te parler. Je veux que tu m'expliques ce qui se passe.

— Je ne peux pas. Je suis en train d'étudier. Va-t'en. Demain à l'arrêt de l'autobus. J'irai plus tôt...

— Non. Il faut que ce soit aujourd'hui. J'ai besoin de savoir tout, tout de suite.

De l'intérieur vint la réponse silencieuse de Marina. La lumière s'éteignit. On entendait pleurer dans l'obscurité. Ricardo tourna le dos lentement. Il se passa nerveusement les mains sur les cheveux. Et soudain le faisceau de lumière de la lampe de l'agent de police kaki lui frappa le visage.

— Halte là ! Qu'est-ce que tu es en train de faire ?

Ricardo eut peur. La peur qu'a le Noir devant l'agent de police.

D'un bond il gagna le jardin. Les feuilles sèches cédèrent et il glissa. Toni aboya.

— Halte là, espèce de Noir. Arrête. Eh ! le Noir, arrête-toi !

Ricardo se releva et courut vers le mur. L'agent de police courut aussi. Ricardo sauta.

— Arrête, arrête-toi, espèce de Noir !

Ricardo ne s'arrêta pas. Il sauta le mur. Il heurta le trottoir avec une violence étouffée par ses chaussures en caoutchouc. Mais ses pieds glissèrent alors qu'il prenait son élan pour traverser la rue. Il tomba et sa tête frappa lourdement le bord du trottoir.

La lumière se fit à toutes les fenêtres. Toni aboyait. Dans la nuit résonna le cri blond de la fillette aux tresses. C'était un clair de lune bleu acier. La lune cruelle se dessinait nettement. Debout l'agent de police kaki déshabillait de la lumière de sa lampe de poche le corps par terre. Ricardo allongé de ce côté-ci de la frontière sur les fleurs violettes des arbres du trottoir.

Au fond, des acajous inclinés sur des maisons de torchis, étirent leur ombre torturée dans sa direction.

---

10. **pára**, verbe **parar** ; ne pas confondre avec la préposition **para**.

11. **fazia o salto** = dava o salto, m. à m. *il faisait le saut.*

12. **de encontro** = *à la rencontre de.*

13. **desnudava** du v. **desnudar** = *dénuder.* Nu, nua = *nu, nue.*

14. **os cajueiros** = *les acajous, les anacardiers* (arbres fruitiers) ; a castanha de caju = *la noix de caju.*

Révisions

Vous avez rencontré dans le conte que vous venez de lire l'équivalent des expressions françaises suivantes.

Vous en souvenez-vous ?

1. D'accord ?
2. Rappelle-toi notre accord.
3. Mais c'est toi qui en as parlé le premier.
4. ... revinrent par le même chemin.
5. Pardon.
6. Le bon temps.
7. Ce n'était pas comme ça qu'on t'appelait ?
8. Elle claqua la porte.
9. Il faut que je te parle.
10. Je ferai ce que tu voudras.
11. Sans s'en rendre compte il traversa la frontière.
12. Je veux que tu m'expliques ce qui se passe.
13. J'irai plus tôt.
14. J'ai besoin de savoir tout, tout de suite.

1. Combinado ?
2. Lembra-te da nossa combinação.
3. Mas quem falou primeiro foste tu.
4. ... vieram pelo mesmo caminho.
5. Desculpa.
6. Bons tempos.
7. Não era assim que te chamavam ?
8. Ela bateu com a porta.
9. Preciso falar-te.
10. Eu faço o que tu quiseres.
11. Deu por si a atravessar a fronteira.
12. Quero que me expliques o que se passa.
13. Vou mais cedo.
14. Preciso de saber tudo já.

VOCABULAIRE À TRAVERS LES CONTES ET CHRONIQUES

Voici *1 027 mots* rencontrés dans les contes et les chroniques suivis de leur traduction et d'un numéro de page qui renvoie au *contexte*.

A

Abafar, *étouffer* 154

A aberta, *la brèche* 40

Aborrecer-se, *s'ennuyer, se fâcher* 124

Abrandar, *ralentir* 40

Abril, *avril* 162

Abrir, *ouvrir* 12

Acabar, *finir* 48

Acariciar, *caresser* 86

O acaso, *le hasard* 112

Aceitar, *accepter* 70

Acender, *allumer* 184

Achar, *trouver* 10

O aço, *l'acier* 96

Acomodar, *installer* 102

Acompanhar, *accompagner* 38

Acontecer (imp.), *arriver* 22

Aconchegar-se, *se blottir* 152

Acordar, *se réveiller* 96

O acordo, *l'accord* 80

(Estar de) acordo, *être d'accord* 146

Acostumar-se a, *s'habituer à* 92

Acreditar em, *croire à* 102

Acrescentar, *ajouter* 22

O a(c)to, *la réunion, l'acte* 30

Adiantar, *avancer (de)* 122

Adiante, *en avant* 22

Admirar, *étonner* 82

Adormecer, *s'endormir* 36

Afastar, *éloigner* 56

Agarrar, *attraper* 74

Agastar-se, *se fâcher* 124

Agora, *maintenant* 58

Agosto, *août* 162

Agradecer, *remercier* 68

A água, *l'eau* 56

Agudo, a, *aigu(e)* 70

Aguentar, *supporter, endurer* 102

Ainda, *encore (temps)* 48

Alaranjado, a, *orangé(e)* 158

O alarido, *la clameur* 22

Alcançar, *atteindre, obtenir* 66

A alcunha, *le sobriquet* 28

A alfândega, *la douane* 46

Aleijar, *estropier* 22

Além de, *outre* 120

A alface, *la laitue* 112

O alicate, *les pinces (outils)* 152

Aliviar, *soulager* 66

Alguém (pron.), *quelqu'un* 8

O almoço, *le déjeuner* 110

O alpendre, *la véranda, l'auvent* 122

A altura, *le moment, la hauteur* 46

Alugar, *louer* 82

O alvitre, *l'avis, le conseil* 10

O alvoroço, *l'agitation* 56

Ambos, ambas, *tous (toutes) les deux* 40

Amanhã (adv.), *demain* 30

Amanhecer, *se lever (le jour)* 76

Amarelo, a, *jaune* 70, 178

Amassar, *écraser, pétrir* 10

A ameaça, *la menace* 156

Ameaçar, *menacer* 20

O amigo, a, *l'ami(e)* 30

O andar, *l'étage* 46, 138

O anel, *la bague* 20

O anoitecer, *la tombée de la nuit* 82

A ânsia, *le désir (vif)* 10

Ansioso, (a) por, *désireux(se) de* 58

Antigo, a, *ancien, ancienne* 30

Apagar, *éteindre, effacer* 56

Apanhar, *prendre* 70

Apenas, *seulement* 18

Apertar, *serrer* 82

Apertar o botão, *appuyer sur le bouton* 136

Apesar de, *malgré* 36

Apoiar, *appuyer* 138

Apontar, *montrer (du doigt)* 46, 122

Apresentar, *présenter* 68

Apressar-se, *se presser* 36

Aproveitar uma coisa, *profiter de*

qq. ch. 40
Aproximar-se, *s'approcher* 158
Aquecer, *chauffer, réchauffer* 86
Aquele, a, *ce, cet, cette... là* 8
Aquilo (pr.neutre), *cela... là-bas* 30
Aqui (adv.), *ici* 18
Aqui d'el rei, *au secours* 20
O ar, *l'air* 30
A areia, *le sable* 86
O aroma, *le parfum* 154
Arrastar, *traîner* 54
O arrepio, *le frisson* 156
A árvore, *l'arbre* 94
Armazenar, *emmagasiner* 40
O arquivo, *les archives* 194
Arrancar, *arracher* 74
Arranjar, *trouver* 30
Arrastar-se, *se traîner* 128
Arrebanhar, *enrôler* 50
Arriscar-se, *se risquer, oser* 134
O arroz, *le riz* 110
Arrumar, *ranger* 40
O assalto, *l'attaque, le hold-up* 8
O assento, *le siège* 152
Assim (adv.), *ainsi* 38
Assinalar, *signaler* 12
O assunto, *le sujet* 32
Assustar, *effrayer* 88
Até, *jusqu'à* 66
Atirar, *lancer* 20
Atrapalhar, *embarrasser* 20
Atrapalhar-se, *s'y perdre* 104
Atrás de, *derrière* 38
Atrasar-se, *se retarder* 144
O atraso, *le retard* 42
Atravancar, *encombrer* 8
Atravessar, *traverser* 30
Atrever-se, *oser* 82
Atropelar, *heurter, écraser* 8
Aturar, *supporter* 18
O avental, *le tablier* 58
O avô, *le grand-père* 70
A avó, *la grand-mère* 70
O azedume, *l'aigreur* 40
O azeite, *l'huile d'olive* 58
Azul, *bleu* 26

B

A bagagem, *les bagages* 124
O bairro, *le quartier* 28

Baixar, *baisser* 176
Baixo, *bas* 36
O banco, *la banque* 8
O banheiro (B), *la salle de bains* 70
O banho (B), *le bain, la douche* 134
Baralhar, *embrouiller* 58
Barato, a, *bon marché* 114
O barco, *le bateau* 46
A barraca, *l'étalage, la tente, le parasol* 8
A barriga, *le ventre* 14
O barulho, *le bruit* 18
Bastante, *assez, assez de* 82
A batalha, *la bataille* 24
O bate-chapa (P), *le carrossier* 40
Beber, *boire* 36
O beco, *l'impasse* 56
À beira de, *au bord de* 148
Berrar, *hurler* 56
A besta, *la bête de somme* 22
O bicho, *la bête, l'animal* 18
O bigode, *la moustache* 86
A boca, *la bouche* 56
Um bocadinho, *un petit peu* 56
Um bocado, *le morceau, un peu* 56
Bocejar, *bâiller* 154
O boi, *le bœuf* 20
O boné, *la casquette* 119
O boneco, *la poupée, le personnage* 28
Bonito, a, *joli(e)* 46
A borracha, *le caoutchouc* 182
Botar (B), *mettre* 108
O brado, *le cri* 8
Branco, a, *blanc, blanche* 28
Brincar, *jouer* 20
O broto, *le bourgeon, le rejet* 96
Buscar, *chercher* 36
buzinar, *klaxonner* 38

C

A cabeça, *la tête* 28
A caçada, *la partie de chasse* 96
Caçar, *chasser* 10
O cachimbo, *la pipe* 122
O cachorro, *le chien (B), le petit chien (P)* 64
Cada, *chaque* 30

A cadeira, *la chaise, le fauteuil* 56
A cadela, *la chienne* 82
Cair, *tomber* 10
O cais, *le quai* 46
A caixa, *la caisse* 10
O caixote, *la caisse, le cageot* 85
Calar-se, *se taire* 176
O calçadão (B), *le large trottoir*
114
O calor, *la chaleur* 46
A cama, *le lit* 116
A câmara, *la caméra* 110
O caminho, *le chemin* 12
A campainha, *la sonnette* 136
O campo, *le champ* 20
O candeeiro, *la lampe* 180
Cansar, *fatiguer* 134
Cansativo, a, *fatigant(e)* 36
O canto, *le coin, le chant* 110
O cão, *le chien* 80
A cara, *la figure* 46
O caracol, *la boucle, l'escargot*
28-156
O cardápio, *le menu* 112
A careta, *la grimace* 108
A carne, *la viande* 112
Caro, a, *cher, chère* 110
Carrancudo, a, *fâché(e)* 20
Carregar, *charger, emporter* 126
O carril, *le rail* 158
O carro, *la voiture* 38
A carruagem, *le wagon, la voiture*
154
A carteira de eleitor, *la carte
d'électeur* 100
A casa, *la maison* 28
O casaco, *la veste, le manteau* 58
O casal, *le ménage (couple)* 80
Casar, *se marier* 30
O caso, *le cas, l'histoire* 64
O cavalo, *le cheval* 22
Cavar, *creuser* 126
A cautela, *la prudence* 134
Cedo (adv.), *tôt* 134
O centro, *le centre* 100
O cérebro, *le cerveau* 114, 176
A certeza, *la certitude* 38
O céu, *le ciel* 56
Chamar, *appeler* 8
O chão, *le sol* 10
A chapa, *la plaque* 96
O charuto, *le cigare* 72

Chatear (fam.), *ennuyer, embê-
ter* 40
Chato (a), *ennuyeux, ennuyeuse,
plat(e)* 66
Chegar, *arriver* 40
Chegar-se a, *s'approcher de* 54
Cheio, a, *plein(e)* 20
O cheiro, *l'odeur* 152
A chicotada, *le coup de fouet* 22
Chocalhar, *agiter, secouer* 20
Chocarreiro, a, *moqueur(se)* 15
Chorar, *pleurer* 182
Chover, *pleuvoir* 36
O chuchu (B), *la chayotte, chris-
tophine* 8
O chuveiro (B), *la douche* 136
A cidade, *la ville* 40
O cigarro, *la cigarette* 28, 168
O círculo, *le cercle* 82
O clarão, *la lueur* 158
A cobra, *le serpent* 92
O cobrador, *le receveur* 140
Cobrar, *encaisser* 140
Cobrir, *couvrir* 130
A coisa (cousa), *la chose* 158
A colcha, *le couvre-lit* 182
A colheita, *la récolte* 18
Colocar, *placer* 110
A combinação, *l'accord* 174
O comboio, *le train* 152
Comer, *manger* 60
Comover, *émouvoir* 154
Competir a alguém, *échoir à, re-
venir à* 54
Complacente, *complaisant* 158
A compra, *l'achat* 86
Comprar, *acheter* 28
Compreender, *comprendre* 180
Comprido a, *long, longue* 68
A condecoração, *la décoration* 30
Confessar, *avouer* 28
Conhecer, *connaître* 32, 168
Conseguir + inf., *arriver à, obte-
nir* 36
O conserto, *la réparation* 48
Consigo, *j'arrive à, j'obtiens* 108
Consigo, *avec lui, elle, vous* 126
O consultório, *le cabinet* 32
A conta, *l'addition* 134
Contar, *raconter, conter* 42
Contar com, *disposer de, compter
sur* 70

Contigo, *avec toi* 22
Convencer, *convaincre* 86
Conversar, *converser, bavarder* 94
O convidado, *l'invité* 114
Convidar, *inviter* 114
A cor, *la couleur* 56
O coração, *le cœur* 66
O corpo, *le corps* 94
Correr, *courir* 8
Corrigir, *corriger*
O corrimão, *la rampe* 156
Cortar, *couper* 30
As costas, *le dos* 42
Costumar + inf., *avoir l'habitude de* 38
O costume, *l'habitude* 42
Costumeiro, a, *habituel(le)* 56
A costura, *la couture* 30
O couro, *le cuir, la peau* 94
A couve, *le chou* 112
A cova, *la fosse, le trou* 22
A cozinha, *la cuisine* 70
Cozinhar, *cuisiner, cuire* 108
Cravar, *enfoncer, clouer* 94
Crescer, *croître, grandir* 22
A criança, *l'enfant* 70
Criar, *élever, éduquer* 104
A criatura, *la créature* 80
Cruzar-se com, *croiser qqn* 82
A culpa, *la faute* 38
O culpado, *le coupable* 120
A curva, *le virage* 40
Cuspir, *cracher* 128

D

Dar, *donner* 18
Debaixo de, *au-dessous de* 20
Decepar, *trancher* 94
Décimo, *dixième* 108
Décimo segundo, *douzième* 108
Descobrir, *découvrir* 30, 112, 166
Decorrer, *passer (le temps)* 30
O dedo, *le doigt* 42
Deitar fora (P), *jeter* 86
Deixar, *laisser* 18
Deixar de, *cesser de* 42
Demais, *trop* 70
Demorar, *tarder, durer* 110
Demasiado, *trop, trop de* 182
A dentada, *le coup de dent* 88

O dente, *la dent* 116
Dentro de, *à l'intérieur de* 60
Depois, *après, ensuite* 42
Depressa, *vite* 18
Derreter, *fondre* 108
Derrubar, *renverser* 12
Desabafar, *se soulager, s'épancher* 154
Desafiar, *défier* 58
Desaparecer, *disparaître* 18
O desaparecimento, *la disparition* 60
Desatar a, *se mettre à* 20
Desatracar, *lever l'ancre* 66
Descansar, *se reposer* 74
Descer, *descendre* 56
Desculpar, *excuser* 176
Desde, *depuis* 178
Desdobrar-se, *se dédoubler, s'efforcer* 126
Desenganar, *détromper* 154
Desenhar, *dessiner* 28
Desentender, *ne pas comprendre* 98
Desenvolver, *développer* 48
Desfazer-se em, *se confondre en* 66
A desgraça, *le malheur* 18
Desistir de, *renoncer à* 86
Deslizar, *glisser* 156
Deslocar-se, *se déplacer* 56
Despedir-se, *prendre congé* 98
Despertar, *réveiller* 120
Despir-se, *se déshabiller* 134
Despropositado, *excessif* 124
Detrás de, *derrière* 92
Devagar, *lentement* 48
Devolver, *rendre* 152
O dia, *le jour* 36
O diabo, *le diable* 12
Diante de, *devant* 114
A dieta, *le régime* 110
O dinheiro, *l'argent* 28
A direita, *la droite* 72
Divisar, *apercevoir* 46
Dizer, *dire* 30
Dobrar, *plier* 128
Dois (masc.), *deux* 54
Duas (fém.), *deux* 74
Doer, *faire mal* 94
O domingo, *le dimanche* 28
A dona de casa, *la maîtresse de*

maison 20
O dono, *le maître, le propriétaire*
82
A dor, *la douleur* 14
Dourado, a, *doré, e* 94
O duche (P), *la douche* 36
Durante, *pendant* 80
A dúvida, *le doute* 94
A dúzia, *la douzaine* 82

E

O efeito, *l'effet* 152
Eis (invariable), *voici, voilà* 136
O eléctrico (P), *le tramway* 54
O elevador, *l'ascenseur* 46
Embasbacado, *abasourdi* 58
Emagrecer, *maigrir* 124
Embora, *voir* IR, *bien que* 36
O embrulho, *le paquet* 86
A emergência, *l'urgence* 138
Empalidecer, *pâlir* 94
Empilhar, *entasser* 120
O emprego, *l'emploi* 30
O empregado, *l'employé* 32
Emprestar, *prêter* 70
Empurrar, *pousser* 24, 176
Emudecer, *rester muet* 124
Encaminhar-se, *s'acheminer* 20
Encarar, *fixer* 146
Encetar, *entamer* 136
Enchafurdar, *s'enfoncer, se vautrer* 114
Encher, *remplir* 120
Encolher-se, *se rétrécir, se recroqueviller* 128
Encontrar, *rencontrer* 66
Encostar, *appuyer* 42
Enfiar-se, *s'enfiler, se mettre* 56
Engolir, *avaler* 20
Enquanto, *pendant que* 108
Enriquecer, *enrichir* 110
Ensinar, *enseigner, montrer* 40
Entender, *comprendre* 32
Entortar, *(se) tordre* 94
Entregar, *remettre* 22
Entupir, *boucher* 10
Envolver, *envelopper* 104
Erguer-se, *se dresser* 10
Esboçar, *esquisser* 58
Esborrachar-se, *s'écrabouiller* 8
Esbugalhar, *ouvrir tout grands les*

yeux 56
A escada, *l'escalier* 28
Escancarar, *ouvrir tout grand* 58
A escola, *l'école* 28
Esconder, *cacher* 122
Às escondidas, *à cache-cache*
176
Escorregar, *glisser* 128
O escravo, *l'esclave* 17
Escuro, *sombre, foncé* 14
Escutar, *écouter* 8
Esgaravatar, *gratter* 20
Esguichar, *gicler* 96
Esmorecer, *faiblir, se décourager*
124
Esmurrar, *frapper, à coups de poing* 138
Espalhar, *éparpiller* 114
Espantar, *étonner, stupéfier* 80,
116
Esparramar, *répandre* 114
A especulação, *la spéculation* 60
O espelho, *le miroir* 40
Esperar, *attendre* 22
Esperto, a, *vif, (-ve), intelligent(e)* 82
Espiar, *épier, regarder* 12
A esposa, *l'épouse* 68
Espreguiçar-se, *s'étirer* 156
Espreitar, *guetter* 124
Esquecer-se de, *oublier* 30
O esquecimento, *l'oubli* 38
O esquema, *le système, le schéma* 42
A esquerda, *la gauche* 72
A esquina, *le coin* 54
Esse, a, *ce, cet, cette... là* 22
A estação, *la saison* 162
Estacar, *s'arrêter net* 158
Estalar, *éclater* 94
O estanho, *l'étain* 164
Estar, *être* 18
Estender, *étendre* 112
Esticar a corda, *tendre la corde* 22
A estimativa, *la prévision* 42
O estômago, *l'estomac* 36
A estrada, *la route* 36
Estreito, a, *étroit(e)* 38
Estragar-se, *s'abîmer* 18
Estrangeiro, a, *étranger, étrangère* 100
Estranhar algo, *s'étonner de*

qq.ch. 60
Estremecer, *vibrer, tressaillir* 92
O estrondo, *le fracas* 134
Exclamar, *s'exclamer* 8
O executivo, *le cadre (personnel)* 98
Experimentar + inf., *essayer de + inf.* 108
Explodir, *exploser* 156
A exploração, *l'exploitation, l'exploration* 24

F

A faca, *le couteau* 72
A facada, *le coup de couteau* 54
O facão, *le grand couteau* 94
O facto (P), *le fait* 80
O fato (B), *le fait* 81
O fado, *le destin* 54
Faiscar, *étinceler* 64
Falar, *parler* 18, *dire,* 162
A falência, *la faillite* 66, 148
Faltar, *manquer* 18
A farda, *l'uniforme* 158
A farinha, *la farine* 112
O faro, *le flair* 42
A fartura, *l'abondance* 114
O fato (P), *le costume* 28
A fazenda, *la propriété, les finances, le tissu* 20
Fazer, *faire* 22
Fazer-se de, *feindre, faire la (le)* 124
Fechar, *fermer* 12
O feijão, *le haricot* 108
Feio, a, *laid(e)* 40
A feira, *la foire* 8
O feitor, *le contremaître* 20
Feliz, *heureux* 30
A fera, *la bête fauve* 66
Ferido, a, *blessé(e)* 12
Ferir, *blesser* 100
Ferver, *bouillir* 134
Ficar, *rester, être* 28
A figura, *le personnage* 122
O filho, *le fils* 28
O fim, *la fin* 56
O fiscal, *le contrôleur* 72
A fita, *le film* 86
Fitar, *fixer* 158
A floresta, *la forêt* 68

O fogão, *la cuisinière (appareil)* 108
O fogo, *le feu* 108
O foguete, *la fusée* 140
A folga, *le répit, la relâche* 126
A folha, *la feuille* 182
A fome, *la faim* 36
Fora, *dehors* 10
Franzir (o sobrolho), *froncer les sourcils* 88
O frasco, *le flacon* 60
A freguesia, *la paroisse, la clientèle* 58
O frio, *le froid* 158
A fronteira, *la frontière* 30
A fruta, *les fruits* 10
A fuga, *la fuite* 8
Fugir (foge), *fuir (il fuit)* 8
Fumar, *fumer* 28
Furar, *trouer* 96

G

A galinha, *la poule* 20
Ganhar, *gagner* 48
A garganta, *la gorge* 164
O garoto, *le gamin* 14
A garrafa, *la bouteille* 20
Gastar, *dépenser* 96
O gato, *le chat* 56
O gênero, *le genre* 58
A gente, *les gens* 42
O gesto, *le geste* 40
Girar (sur un axe) 156
O golpe, *le coup* 94
Gordo, a, *gros, grosse* 8
Gostar de + inf., *aimer + inf.* 64
O gosto, *le goût* 110
O governo, *le gouvernement* 98
A grama, *le gazon (B), le chiendent (P)* 112
O grão, *le grain* 17
O grau, *le degré* 100
A gratidão, *la gratitude* 66
Gritar, *crier* 40
O grito, *le cri* 20
O guarda, *le garde* 8
Guiar, *conduire, guider* 36
A gulodice, *la gourmandise* 70

H

O hábito, *l'habitude* 116

Haver, *avoir* 18
Hirto, a, *droit(e), raide* 58
Hoje, *aujourd'hui* 36
O homem, *l'homme* 10

I

A ida, *l'aller* 36
A idade, *l'âge* 10
Impedir que, *empêcher de* 42
Impelir, *pousser* 126
O ímpeto, *l'élan* 12
Impotente, *impuissant(e)* 110
O inchaço, *l'enflure* 156
Incomodar, *gêner* 116
A inquietação, *l'inquiétude* 152
O inquilino, *le locataire* 124
Inteiro, a, *entier, entière* 56
O inverno, *l'hiver* 36
Intocável, *intouchable* 28
Inverossímil (B), *invraisemblable* 120
Investigar, *faire des recherches* 86
Invulgarmente, *extraordinairement* 84
Ir, *aller* 8
Ir embora, *s'en aller* 18
O irmão, *le frère* 122

J

Já, *maintenant, déjà* 20
A janela, *la fenêtre* 12
O jantar, *le dîner* 164
O jeito, *la façon d'être, la débrouillardise* 66
Jogar, *jouer, miser, jeter (B)* 72
A juba, *la crinière* 86
Juntar, *rassembler* 104

K

A kombi, *le minibus (B)* 12

L

O lábio, *la lèvre* 174
O lado, *le côté* 38
Ladrar, *aboyer* 184
A lágrima, *la larme* 158
O lançamento, *le lancement* 110

A lanterna, *la lampe de poche* 184
A laranja, *l'orange* 151
Largo, a, *large* 86
Largar, *lâcher* 138
A lasca, *le copeau, l'éclat* 96
A lata, *la boîte de conserve* 82
Latir, *japper* 81
O latido, *le jappement* 80
A lavandeira, *la laveuse, la lavandière* 178
O leão, *le lion* 86
O leitão, *le porcelet* 63
O leite, *le lait* 60
O lema, *la devise* 38
Lembrar-se de, *se souvenir de* 40
Ler, *lire* 42
A lesma, *la limace* 42
O leste, *l'est* 36
Levantar-se, *se lever* 36
Levar, *emmener, emporter* 12
Ao de leve, *légèrement* 86
Ligar a alguém (P), *faire attention à qq .un (pop.)* 54
O lixo, *les ordures* 86
O lodo, *la boue* 170
Logo, *immédiatement* 28
Loiro (ou louro), *blond* 10
Longe, *loin* 80
Longínquo, a, *lointain(e)* 182
Louco, a, *fou, folle* 40
A lua, *la lune* 53
O luar, *le clair de lune* 182
O lugar, *la place* 28
A luz, *la lumière* 38

M

A maçã, *la pomme (fruit)* 102
A maçaneta (da porta), *la poignée de la porte* 128
Macio, a, *doux, doux au toucher, tendre* 110
A madeira, *le bois (de construction)* 54
A madrugada, *le petit matin* 120
Maduro, a, *mûr(e)* 18
A mãe, *la mère* 54
Magro, a, *maigre* 72
Maior, *plus grand(e)* 64
A maioria, *la majorité* 40
Mais, *plus* 48
A mala, *la valise* 126

A maldade, *la méchanceté* 40
A malta (P), *la bande* 28
Maluco, a, *fou, insensé* 70
A manada, *le troupeau* 22
A mancha, *la tache* 182
Mandar, *commander* 98
Mandar + inf., *faire + infinitif* 32
A mandioca, *le manioc* 114
A manhã, *le matin* 96
A manteiga, *le beurre* 64
A mão, *la main* 56
A mão-de-obra, *la main-d'œuvre* 18
O mar, *la mer* 50
Marcar, *réserver* 152
Marchar, *(s'en) aller* 46
O marido, *le mari* 10
O marinheiro, *le marin* 79
O mármore, *le marbre* 134
A máscara, *le masque* 164
Mastigar, *mâcher* 110
A mata, *la forêt* 96
O matadouro, *l'abattoir* 72
Matar, *tuer* 38
O medo, *la peur* 184
Medosamente, *craintivement* 174
(A, Ao, No) meio de, *au milieu de* 42
A melancia, *la pastèque* 8
Melhor, *mieux, meilleur(e)* 22
O menino, *le jeune garçon* 28
A menina, *la fillette ou la jeune fille* 178
O mercado, *le marché* 110
A mercadoria, *la marchandise* 8
A mercearia, *l'épicerie* 28
Mergulhar, *plonger* 116
A mesa, *la table* 42
Mesmo, *même* 12
Meu(s), *mon, mes* 28
O milho, *le maïs* 17
Minha(s), *ma, mes* 22
A mistura, *le mélange* 114
A mobília, *les meubles* 120
Moer, *ressasser, moudre* 40
O moleque (B), *le gamin* 8
Morar, *habiter, demeurer* 34
O morador, *l'habitant* 12
Moreno, a, *brun(e)* 10
Morrer, *mourir* 12
Mostrar, *montrer* 66
O motorista, *le chauffeur* 10

Mover, *mouvoir, émouvoir* 10
Movediço, a, *mouvant(e)* 156
Mudo, a, *muet, muette* 152
Muito, a, *beaucoup de* 18
A mulher, *la femme* 10
A multa, *l'amende* 74
A multidão, *la foule* 14
Multiplicar, *multiplier* 8
O murmúrio, *le murmure* 156
O muro, *le mur* 182
O murro, *le coup de poing* 108

N

Nada, *rien* 38
Namorar, *courtiser, fréquenter* 30
A narina, *la narine* 42
O nariz, *le nez* 10
Nascer, *naître* 88
A navalha, *le grand couteau* 54
O navio, *le bateau, le navire* 45
Negar, *nier* 82
Negociar, *faire du commerce* 94
Os negócios, *les affaires* 42
Negro, a, *noir(e)* 30
Nem... sequer, *ne... pas même* 86
Nenhum, a, *aucun(e)* 40
A neve, *la neige* 174
A névoa, *la brume* 180
Ninguém (pron.), *personne* 8
A noiva, *la fiancée, la jeune mariée* 30
A noite, *la nuit* 30
O nome, *le nom*
O norte, *le nord* 40
A notícia, *la nouvelle* 8
O número, *le nombre* 42
A nuvem, *le nuage* 38

O

O óbito, *le décès* 146
Obrigado, a, *merci* 138
Obrigar a, *obliger à* 138
Óbvio, a, *évident(e)* 152
Os óculos, *les lunettes* 36
Ocupar-se com, *s'occuper de* 124
A ocorrência, *l'événement* 8
Ocorrer, *arriver, venir à l'esprit* 74
Olhar, *regarder* 12
O olho, *l'œil* 28
O ombro, *l'épaule* 154

A onça, *le jaguar* 96
Onde, *où (adv.)* 96
O ônibus (B), *l'autobus* 10
Ontem, *hier* 30
A ordem, *l'ordre* 60
A orelha, *l'oreille (le pavillon externe)* 116
O osso, *l'os* 94
Outro, a, *autre* 12
Ouvir, *entendre* 18

P

A pancada, *le coup* 40
O padeiro, *le boulanger* 134
Pagar, *payer* 42
Pagar a prestações, *payer à crédit* 134
Pairar, *planer* 56
O pai, *le père* 64
Os pais, *les parents* 28
O país, *le pays* 40
A paisagem, *le paysage* 48
A palavra, *le mot* 40
O palavrão, *le gros mot* 124
O palhaço, *le clown* 178
A panela, *la casserole* 64
O pão, *le pain* 64
O papel, *le papier* 56
O papo, *le jabot, la conversation* 58-94
Paquerar, *draguer, baratiner* 162
Para, *pour, vers* 10
Parabéns, *félicitations* 30
A paragem (P), *l'arrêt* 184
O parapeito, *le parapet* 134
Parar, *arrêter* 10
Parecer, *paraître, sembler* 37
A parede, *le mur* 180
Pardo, a, *gris(e), brunâtre* 56
A partida, *le départ* 126
Partir, *casser, partir* 22
Pastar, *paître* 20
O pastor, *le berger* 22
O passageiro, *le passager, le voyageur* 10
Passar a, *se mettre à* 64
Passear, *se promener* 92
O passeio, *le trottoir (P), la pro-·menade* 120
O pátio, *la cour, l'impasse* 28
A paz, *la paix* 18

O pé, *le pied, la patte* 18
O pedaço, *le morceau* 66
Pedir, *demander* 56
A pedra, *la pierre* 10
Pegar, *prendre, attraper* 12
A penugem, *le duvet* 94
Pequeno, a, *petit(e)* 38
Perceber, *comprendre* 86
Perguntar, *demander (poser une question)* 32
O perigo, *le danger* 94, 156
Permanecer, *rester, demeurer* 30
A perna, *la jambe* 56
Perpetrar, *perpétrer, exécuter* 8
Perto de, *près de* 8
O pesadelo, *le cauchemar* 138
A pessoa, *la personne* 12
O pessoal, *les gens, le personnel* 56
O peso, *le poids* 96
Pior, *pire* 38
A pipoca, *le pop-corn* 12
Pisar, *fouler aux pieds* 86
Pisotear, *piétiner* 108
O planejamento, *la planification* 112
Pobre, *pauvre* 64
O poder, *le pouvoir* 35
Poder, *pouvoir* 18
A poeira, *la poussière* 176
Pois é, *oui, bien sûr* 22
Por, *pour, par* 22
Pôr, *poser, mettre* 42
O porteiro, *le concierge* 50
Possuir, *posséder* 48
Pouco, a, *peu, peu de* 48
O prado, *le pré* 44
A praia, *la plage* 46
Praguejar, *pester, jurer* 46
O prato, *l'assiette* 108
O preço, *le prix* 17
O preconceito, *le préjugé* 112
O prédio, *l'immeuble* 124
O prego, *le clou* 94
Prender, *retenir* 22
O preso, *le prisonnier* 76
A prestação, *le versement, la traite* 66
Preto, a, *noir(e)* 108
O primo, a prima, *le cousin, la cousine* 96
Primeiro, a, *premier(ère)* 12

196

Seguro, a, *sûr(e)* 42
A selva, *la forêt vierge* 94
A semana, *la semaine* 30
Semelhante, *semblable* 70
Sempre, *toujours* 18
Sentado, a, *assis(e)* 56
Sentar-se, *s'asseoir* 76
O sentido, *le sens* 38
Sentido, a, *poignant(e)* 54
O sentimento, *le sentiment* 38
O serviçal, *le serviteur* 18
A seringueira, *l'hévéa* 96
Serrar, *scier* 96
Sete, *sept* 82
O sinal, *le signe, le signal* 38
O sítio, *l'endroit* 28
Só, *seul, seulement* 22
Sobrar, *être en trop* 122
O sobrolho, *le sourcil* 88
O sofá, *le canapé* 88
A soja, *le soja* 96
O sol, *le soleil* 36
A soleira, *le seuil (porte)* 54
Soltar, *lâcher* 138
O solteirão, *le vieux garçon* 122
Soluçar, *sangloter* 158
A sombra, *l'ombre* 176
O sonho, *le rêve* 104
O sono, *le sommeil* 72
O sopro, *le souffle* 154
Sorrateiro, a, *rusé(e)* 28
Sorrir, *sourire* 40
A sorte, *le sort, la chance* 82
Sossegado, a, *paisible, calme* 70
Subir, *monter* 8
Sugerir, *suggérer* 146
O sujeito, *l'individu* 64
O sul, *le sud* 40
O suor, *la sueur* 136
Surpreender, *surprendre* 36
A suspeita, *le soupçon* 152
Suspeitoso, a, *soupçonneux(se)* 104
Os suspensórios, *les bretelles* 42

T

Talvez + subj., *peut-être* 94
O tamanho, *la taille (dimension)* 56
Tamanho, a, *si grand(e)* 98
A tareia (P), *la raclée* 28

O te(c)to, *le plafond* 180
A teta, *le pis (de l'animal)* 96
Tentar + inf., *essayer de + inf.* 38
O teor, *la teneur* 112
A ternura, *la tendresse* 86
A tinta, *l'encre* 54
O tio, a tia, *l'oncle, la tante* 68
Tirar, *enlever* 128
Tocar, *toucher, jouer de* 134
Tolo, a, *fou, folle* 124
O tombo, *la dégringolade* 53
Torcer, *tordre* 58
Tornar-se + adj., *devenir + adj.* 56
A torrente, *le torrent* 176
O trabalhador, *le travailleur* 22
O trabalho, *le travail* 22
A trança, *la tresse* 174
Trancar-se, *s'enfermer* 134
O trânsito, *la circulation* 36
Transtornado, a, *bouleversé(e)* 122
A traseira, *l'arrière* 40
Travar (P), *freiner* 38
Travesso, a, *espiègle* 120
Trazer, *apporter, amener* 122
O trecho, *le morceau, le passage* 120
A trela, *la laisse* 80
Tremer, *trembler* 122
O tremoço, *le lupin* 54
Trocar, *changer, échanger* 12
O trocador (B), *le receveur,* 10
O tronco, *le tronc* 96
A trovoada, *l'orage* 18
Tudo (inv.), *tout* 42

U

O uivo, *le hurlement* 8
Ultrapassar, *doubler, dépasser* 38
A unha, *l'ongle* 86
Usar, *utiliser* 40

V

A vaca, *la vache* 96
Vagaroso, *lent(e)* 136
A vantagem, *l'avantage* 28
A varanda, *la véranda, la terrasse* 120
Vários (as), *plusieurs* 82

LANGUES POUR TOUS

le portugais
tout de suite !

POUR ÊTRE OPÉRATIONNEL
EN DEUX À TROIS SEMAINES

portugais

Achevé d'imprimer en décembre 1999
sur les presses de l'Imprimerie Bussière
à Saint-Amand (Cher)

POCKET - 12, avenue d'Italie - 75627 Paris Cedex 13
Tél. : 01-44-16-05-00

— N° d'imp. 2755. —
Dépôt légal : mai 1998.

Imprimé en France